ANTON WILDGANS
GESANG VOM MENSCHEN

STIASNY-BÜCHEREI

Band 56

Anton Wildgans: „Gesang vom Menschen“

Anton Wildgans

Gesang vom Menschen

Eingeleitet und ausgewählt
von
Hans Vogelsang

STIASNY-VERLAG
GRAZ UND WIEN

Umschlagentwurf von Hans Wolf

Die Auswahl beruht auf der siebenbändigen histor.-kritischen Ausgabe: „Anton Wildgans, Sämtliche Werke“, copyright 1948ff. by Verlag Styria, Wien—Graz; die Briefe entstammen der Ausgabe Lily Wildgans' „Anton Wildgans, Ein Leben in Briefen“. Wien 1947, copyright by Wilhelm Frick-Verlag & Co. Mit freundlicher Genehmigung der Verlage.

Printed in Austria

Druck: Heinrich Stiasny's Söhne, Graz

Einleitung

ANTON WILDGANS — KÜNDER DES MENSCHLICHEN

Die Jugend Anton Wildgans' wurzelte noch im beschwingten Wien der österreichisch-ungarischen Monarchie voll zauberhafter Romantik verklingenden Biedermeiertums, als diese Stadt im Zeichen eines großen künstlerischen Aufschwunges stand. Die allzu kurze Lebensspanne dieses patriotischen Dichters umschloß aber auch die chaotischen Nachkriegsjahre des ersten Weltbrandes, in denen der ethische Bankrott, mit dem der Wert des Geldes immer geringer wurde, Kultur und Kunst gewaltig beeinflußte. So hatten die alten Hoftheater, die infolge vorher ungekannter Schwierigkeiten vor der Existenzfrage standen — dies bekam der Burgtheaterdirektor Wildgans zweimal zu spüren —, kein Stammpublikum mehr und mußten außerdem mit der Konkurrenz des Films und mit der unerbittlichen Kritik einer fast kunstfeindlichen Presse rechnen. Die soziologischen Veränderungen schufen neue Lebensbedürfnisse; das Existenzminimum entschied über die Bau-, Wohn- und Kleiderverhältnisse. Das Ästhetische, die bewußte Selbstdarstellung durch gestaltete Form, trat vor den ethischen Forderungen absolut zurück, und dies bekundete auch auf dem Gebiet der Baukunst einen neuartigen Gestaltungswillen. Galt noch vor kurzem die bürgerliche Oberschicht in allen Fragen des guten Geschmacks als vielbeachtetes Vorbild, so wurde nun in den Jahren um 1900 die Wohnung des „mittleren Beamten“ zur Richt-

schnur. Ein neues Weltbild, das die oft gerühmte Geselligkeit des Wiener Bürgers verdrängte, ließ trotz einer solchen „Entösterreicherung" einen anderen Wesenszug unseres Volkes deutlicher hervortreten, sein universales, kosmopolitisches Wesen. Solche revolutionierende Geschehnisse wiesen den Denkern jener Zeit neue Wege. Infolge des Wandels im geistigen Leben mußten sich Kunst und Wissenschaft, die damals nicht zu den anerkannten Lebensmächten gehörten, erst allmählich wieder ihre Bedeutung und Vorrangstellung erringen. Eine bewußte Moderne stellte sich der Trägheit eines Traditionalismus entgegen.

Diese beiden entscheidenden Mächte, ein Verwurzeltsein in traditionsreicher, aber verlöschender Vergangenheit und gleichzeitig ein tastendes Einordnen in die neue Gedankensphäre, findet man auch in Anton Wildgans' Lebenswerk. Auf der Grundlage des barokken Erbes bekennt sich der Dichter in seiner allzeit von neuem gerühmten *„Rede über Österreich"*, die für eine Vorlesung am 12. November 1929 in Stockholm vorgesehen war, die er aber wegen einer schweren Erkrankung erst am 1. Jänner 1930 im Radio Wien sprechen konnte, zur Tradition und festgefügten Kulturwelt des alten Österreich, zum österreichischen Menschen und zur weltbürgerlichen Sendung des Österreichers. Er bietet darin ein wundervolles Charakterporträt, wie er es auch selbst vorlebte: „... *der österreichische Mensch ist tapfer, rechtschaffen und arbeitsam, aber seine Tapferkeit, so sehr sie auch immer wieder Elan bewiesen hat, erreicht ihre eigentliche sittliche Höhe erst, wenn seine leiderfahrene Philosophie in Kraft tritt: im Dulden. Und was seine Rechtschaffenheit anbelangt, so ist sie immer mehr Gesundheit und Natürlichkeit der Instinkte als moralische Doktrin. Und sein Fleiß wird ihm nicht so leicht zur Fron, die den Menschen aushöhlt und abstumpft und ihn feierabends zu grellen und aufpeitschenden Mitteln greifen läßt, auf daß er seiner* *gerade noch inne bleibe. Das hängt damit zusammen, daß der österreichische Mensch irgendwie eine Künstlernatur ist und daß seine Methode der Arbeit mehr die der schöpferischen Improvisation und des schaffenden Handwerks geblieben als die der disziplinierten, aber auch mechanischeren Fabrikation geworden ist. Man hat dem österreichischen Menschen, unter anderem auch deshalb, einen gewissen Konservativismus und ein gewisses Zögern gegenüber dem Fortschritt und dem jeweils Neuen nachgesagt, und dieser Leumund hat etwas Wahres in sich. Indessen, wem historisches Bewußtsein und Psychologie zum Instinkt geworden sind, der neigt dazu, nicht gleich in jedem Wechsel der Dinge einen Fortschritt zu erblicken; und wer alte Kultur besitzt, der beruht zu sehr in sich und ist seines Geschmacks viel zu sicher, um in jedem Neuen allsogleich ein Evangelium zu vermuten... Mag sein, daß er das jeweils vorgeschriebene Tempo nicht ganz und gar mitmacht und nicht behende genug mittut im Veitstanze einer immer mehr entheiligenden Zivilisation, aber er wird dafür ein anderes bewahren, worauf es denn doch vielleicht einmal noch ankommen wird, wenn die Völker der Erde dereinst etwa nach anderen Maßen als denen der Gewalt — und Konkurrenzfähigkeit gezählt und gewogen werden sollten: das menschliche Herz und die menschliche Seele!“* [1]

Der magische Zauber der Landschaft vom Wiener Wald und der geliebten Mönichkirchner Gegend bis zum Stadtbild seiner Geburtsstadt Wien erfaßte Anton Wildgans schon in früher Jugend. Wie Ferdinand Saars wehmütiges Empfinden in den „*Wiener Elegien*“ dem schwindenden alten Wien nachtrauerte, so hing auch sein Herz an dem, was ihm an romantischer Kindheitserinnerung geblieben war: an den Gestalten des Werkelmanns und des Dudelsackpfeifers, des Rastelbinders und des Pinkeljuden sowie der weithin berühmten Lavendelfrau; an vielen Wiener Bräuchen und Sitten, die längst in die „große Stampfmühle der Vergessenheit“ eingegangen sind. Der idyllische Rahmen des 3., 8. und 18. Gemeindebezirkes (*„Unter den Weißgärbern“*, *„Die alte Josefstadt“*[2] und *„Pötzleinsdorf“* nennt der Dichter in beglückender Erinnerung diese Kapitel in seiner Selbstbiographie der Jugendjahre *„Musik der Kindheit“)* versinnbildlichte dem Knaben und Jüngling, ja sogar noch dem reifen Manne den Begriff der Heimat. Hier fühlte sich dieses einsame *„Kind der Stadt“*[3] geborgen, weil es in tiefer Verbundenheit mit der Umwelt inniges Heimatgefühl und hohe Ehrfurcht vor den Dingen beseelten. Charakterisierte ja später der Dichter mit dem scharfen Blick des Mitfühlenden treffend, was er in früher Jugend in sich aufgenommen hatte, wenn er in dem Gedicht *„Lastenstraße“* schließlich ergriffen folgerte: *„Weiß jeder doch von allem, was er führt — daß ihm daraus kein kleinstes Stück gebührt.“* Solche verinnerlichte Erlebnisschau verlieh ihm jenen sozialen Impuls, den der leiderfahrene Mann aus bekenntnisreichem Herzen später immer wieder in dichterischer Schau gestaltete. Dieses Mitleid — ein kennzeichnender Grundzug in Wildgans' Wesen und Schaffen — offenbarte sich als Erbe seiner Mutter, einer Magd, die der Vater, ein pflichtgetreuer Ministerialbeamter, aus liebender Dankbarkeit geheiratet hatte. Von dieser Wurzel leitete er sein meisterhaftes Porträt der *„Dienstboten“* her, in dem er für alle Dienengen gütige Menschlichkeit forderte. *„... Manchmal könnte ein Wort der Güte... Wunder tun.“*[4] Der frühe Tod der Mutter, die starb, als er vier Jahre alt war[5], und ihr Scheinersatz, den die Stiefmutter darstellte, machten ihn verschlossen und stürzten ihn in seelische Einsamkeit. Er suchte nun bis zu seiner Vermählung die Frau, die ihm jene verzeihende, mütterliche Güte bieten würde, die er der geliebten Mutter nur für ganz kurze Zeit danken konnte. Ähnlich wie Nikolaus Lenau oder Franz Karl Ginzkey, litt auch

Anton Wildgans stark unter der Mutterlosigkeit und bezeichnete sie in einem Brief vom 17. April 1903 als den *„Kern meines Elends“* [6] So bestimmte die Sehnsucht nach Menschlichkeit, Güte, Liebe von der Mütterlichkeit des Weibes entscheidend seine Mitleidsdichtung.

Sein Umweg zu sich selbst leitete Wildgans zunächst über das vom Vater gewünschte Rechtsstudium. Das vom nahen Tode gezeichnete Siechtum dieses geliebten Menschen, dem er trotz scheinbarer Entfremdung innig verbunden war, erschütterte ihn tief.

Dieses „*Schicksal in Mödling*“, wie er das entscheidende Kapitel der Fortsetzung seiner Jugendselbstbiographie überschrieb, formte ihn als zweites bestimmendes Erlebnis seines Daseins durch leidendes Miterleben zum Dichter. Das *„Nachtstück in der Lenaugasse 1898“* (in „Musik der Kindheit“) und noch erschütternder ein autobiographischer Brief (mit dem *„Skelett eines inneren Werdeganges“)* vom 11. Februar 1925 [6] berichten von jenen mitleiderfüllten Tagen. Dem Gedenken an den Vater verdankten manche erlittene lyrische Studien *(„Tod des Vaters“, „Das Lächeln“)* ihre Entstehung, und in dem Gedichtfragment *„Vor dem Bilde meines Vaters“* erschloß der Lyriker die Quelle seines Mitleids, das sich in ihm vom rein persönlichen zum allmenschlichen wandelte. Bis in jene Zeit reicht der (hier abgedruckte) *„Actus mysticus“* des Dramas *„Armut“* zurück; aus ihr empfing er die Gestaltungsfähigkeit für die Elendsatmosphäre der Familie Spuller[7]; aus jenem Miterleben und Mitleiden erhielt er die Berechtigung für die beiden letzten Verse des Mottos zur *„Armut“*:

„Will wieder, wie ein Kreuz, der Menschheit Leid
auf meines Liedes starke Schultern laden.“

Das innerlich nie ganz überwundene Leid des Elternhauses ergänzte die Tragik seines opfervollen Berufsweges: *„... vor dem Ungeheuren menschlichen Irrens und Leidens, das da sich dem Blicke auftat,* *verblaßte das Bild des durch die Kraft der Jugend überwundenen Leidens, und es ward Mitleid, und es ward Liebe“* [7].

So bot dieses größtenteils widerwillig durchgeführte Jusstudium trotz aller äußeren Gegensätzlichkeiten zum Dichtertum doch ein entscheidendes Erlebnis: die Gerichtspraxis. In ihr lernte er viele Gestalten seiner späteren Dichtung in Fleisch und Blut kennen. Nicht als Jurist sah und beurteilte Wildgans diese Armen, Erniedrigten und Ausgestoßenen, sondern als Mensch, der ihren Fehlweg zu ergründen und menschlich zu vergeben suchte. In dem Gerichtseinakter *„In Ewigkeit, Amen“* stellte er, da er die Fragwürdigkeit von Schuld und Sühne erkannte, einem herzlosen Richter einen menschlich fühlenden Schreiber teilnahmsvoll gegenüber. In seiner *„Beichte eines Mitleidigen“* (6. 3. 1912) begründete Wildgans diese Stellungnahme, und sein *„Curriculum vitae vom 4. Februar 1913“* erwies bereits deutlich seine menschlich-poetische Aufgabe: als ein leiderfahrener Mensch, *„der Recht von Unrecht scheidet in seinen Werken wie ich dies schon bisher getan habe in meinen Dichtungen. Noch schärfer als bisher will ich meinen Blick einstellen auf all die kleinen und großen Unterdrükkungen, die in der Welt denen zuteil werden, welche sanften Herzens sind. Denen will ich den Spiegel der Wahrheit vorhalten, welche hart und ungerecht sind, und jenen anderen, welche unter diesen leiden, will ich wenigstens den Trost des Bemerkt- und Verstandenseins zukommen lassen.“*

Dieses Gelöbnis erfüllte der Lyriker, Epiker und Dramatiker in seinem gesamten Schaffen. Wildgans' soziale Gedichte können mit Recht als lyrische Vorstufen zu seinen großen dramatischen und epischen Werken angesprochen werden. Mitleid, Güte, Menschlichkeit und Nächstenliebe heißen die Leitmotive dieser Berufsgedichte, die ihn sein Herz schreiben ließ. So kämpfte er in den Gedichten *„Einem jungen Rich-*

ter zur Beeidigung“ und *„Letzte Instanz“* gegen das Buchstaben-Scheinrecht, das jedes menschliche Gefühl ausschaltet. Er glaubte an den guten Kern in jedem Menschen und vermochte sich sogar in die Seele des zutiefst Gesunkenen einzufühlen, dessen Vergehen er in den seltensten Fällen von einer verbrecherischen Anlage ableitete[8]. Not und Verzweiflung treiben solche Menschen zu Diebstahl und Verbrechen, weil unerträgliches Elend sie überwältigte. Die Gedichttetralogie *„Vom kleinen Alltag“* kündet vom schweren Los des Beamten und Arbeiters, der um das tägliche Brot ringt und sich Entbehrung und Entsagung auferlegen muß. Die Schlußworte dieser vier gesteigerten Bilder — *„Immer sind andre noch ärmer“* —, die eine lyrische Vorstufe zu dem Trauerspiel *„Armut“* darstellen und dort fast wörtlich wieder aufscheinen, zeigen, daß der scheinbar Ärmste an seinem Schicksal nicht verzweifeln darf, da es stets noch härter Bedrängte gibt. Solches *„Los der Armen“* — so betitelt sich ein anderes Gedicht dieser Themengruppe — entrang diesem Dichter ähnlich wie Saar oft mitleiderfüllte, die Reichen anprangernde Verse, und er erblickte das Geschick der Armen darin, immer zu *„bezahlen mit Menschenwürdeverlust und Glückverzicht.“* Oder er machte — in dem Gedicht *„Die armen Mädchen“* — das enge Milieu und die harte Brotarbeit der Menschen vor dem ersten Weltkrieg für die leidumblühten Schläfen der Mädchen aus dem Volke verantwortlich. Auch Wildgans' Jugendprosa schlug bereits stark in die soziale Kerbe. Besonders in den *„Papieren eines Sonderlings“ („Wer Augen hat, zu sehen“)* wehrte sich der Dichter gegen jedes *„verlogene Mitleid“*, das man nur scheinbar, aber ohne beispielhaft helfende Tat empfindet. In seinem großen Epos *„Kirbisch“* aber wurde er zum mahnenden und richtenden Anwalt der Nächstenliebe, der das Parasitentum und die Profitgier der Reichen anklagte, die Leiden der Armen mitfühlte und zu der Erkenntnis gelangte:

„... es wäre des Jammers und Elends
weniger auf der Welt, wofern die Menschen im Geiste
williger wären, zu sehen! Das Mitleid bliebe kein
Wort bloß.“

Diese Wurzel des bekennenden Herzens, aus welcher der Dichter schöpfte, führt uns wieder zurück zum Menschen. Sein künstlerischer Schaffensdrang zwang den Juristen, der inzwischen den Richterberuf ergriff und heiratete, bald, seine amtliche Stellung aufzugeben und als freier Schriftsteller nur seiner Kunst zu leben. In Mödling bezog er mit seiner Familie ein eigenes Haus, das er öfter mit seinem geliebten Mönichkirchen, seiner schicksalhaften Wahlheimat, zur Erholung oder zur Bewältigung großer dichterischer Aufgaben vertauschte. Dort entstanden ja fast alle seine Werke.

Des Dichters Dienst an der Kunst, den er in einem Brief vom 18. Juni 1930 (an Unterrichtsminister Heinrich von Srbik) *„ein einziges großes, freudig-schmerzliches und immer bedingungsloses Opfer“* nannte, blieb ihm lebenslang eine heilige Verpflichtung. Aber nicht nur den besten Teil seines Künstler-, sondern auch seines Menschentums gab er zweimal in schwierigster Zeit als Burgtheaterdirektor für die kunstverständige Menschheit Österreichs. Bekenntnis des Herzens sind seine von höchstem Idealismus kündenden Briefzeilen (26. Dez. 1930): *„Derzeit habe ich kein eigenes geistiges Leben, mein Individuum ist aufgegangen in die Idee des Burgtheaters, der ich unter völliger Selbstentäußerung diene.“* Aber dem Idealisten, der von seinem Hauptwerk *„Moses“* abberufen wurde und alle seine künstlerischen Pläne zurückstellen mußte, bereitete eine verständnislose Mitwelt egoistischer Utilitaristen gehässige Intrigen und Ungerechtigkeiten, die sein Herz am Menschen schlechthin verzweifeln, den Dichter in ihm verstummen ließen: *„Die Fäden zu den früheren Arbeitsplänen sind abgerissen, ich glaube nicht mehr an die Wichtigkeit meiner früheren Probleme, weil ich an die Menschen nicht mehr glaube, für die jene*

Probleme von mir erdacht worden waren." (Brief vom 10. April 1923). Viel Liebe und hohes Verantwortungsgefühl zeichneten Wildgans als Theaterdirektor aus. Aber ähnlich wie bei Stifter in seinem Berufe als Volksschulinspektor *„versündigten sich die Dinge"* an ihm. Die Ernennung zum Hofrat konnte weder an Grillparzer oder Stifter noch an Wildgans gutmachen, was man in ihnen an dichterischen Plänen erstickt hatte. Sein Herz- und Venenleiden kündigte bereits die tragischen Folgen jener Periode an. In die Stille seines geliebten Heimes kehrte ein todgezeichneter Mensch zurück, der — wie sein Freund, der Dichter Franz Theodor Csokor, es nannte, als *„Künder einer typischen österreichischen Humanität"* sein Herz für andere gegeben hatte.

„Dichten war ihm," wie Max Mell von Anton Wildgans sagte, *„im Sinne Goethes Bekenntnis"*. Es lassen sich daher Leben und Dichtung überhaupt nicht trennen. Eine Wertung des Gesamtwerkes kann nur ergänzen und zusammenfassen, was in jener Synthese noch nicht aufscheint. Wildgans' Schaffen enthält lyrische, dramatische und epische Dichtungen.

Immer wieder brach — wie bei seinem ihm künstlerisch verwandten Zeitgenossen Hugo von Hofmannsthal — die lyrische Grundkomponente in jeder seiner poetischen Schöpfungen durch, und das meiste formte er zuerst in Versen, bevor es die endgültige, von ihm anerkannte, große Form erhielt. Das bezeichnende Epigramm: *„Schriebe ich die Geschichte von jedem meiner Gedichte, würde es von meinem Leben die Geschichte ergeben"* bestätigt dies deutlich. Seine Leitmotivik, die von grenzenloser Liebe (*„Ich muß lieben, um zu leben"*) und selbstlosem Dienst am Menschen kündet, stellt ihn neben Saar und Hauptmann, die bedeutendsten Dichter des Mitleids im deutschen Sprachraum.

Als Lyriker erfuhr Wildgans, wie er es in dem Brief vom 11. Februar 1925 an Felix Braun[9] bekannte, tiefe

Beeinflussung durch die Dichter der französischen Dekadenz, vor allem durch Charles Baudelaire: „... *die Form für das eigene, eigentlichste Erlebnis war noch nicht gefunden, schien überhaupt unfindbar. Da kam dem Zwanzigjährigen die Erleuchtung: Baudelaire. Hier war alle Qual geformt, und alle Lust mit den Händen der Qual... Hier waren die zertretenen Gestalten der Großstadt,... Hier war für ihr aller Leid die Form gefunden, die mein eigenes Erlebnis für sich selbst brauchte.*" Diese Verbundenheit mit dem großen französischen Vorbild, von dessen Gedichten er auch eine Auswahl übersetzte, bekräftigte ferner ein Brief vom 1. April 1929 an Louis Rivière, in dem Wildgans enthusiastisch bekannte, *„daß der Meister, der die Entscheidung in meinem frühen literarischen Leben herbeiführte, niemand anderer als Baudelaire war. Dieser allermenschlichste Ihrer großen neueren Dichter hat mich in einer Periode der Selbstunsicherheit zu mir selbst, zu meiner eigenen Menschlichkeit, zu meiner spezifischen Modernität und zu meinem eigenen Pathos erweckt"* [10]. Die tiefere Ursache für eine solche Wahlverwandtschaft mit dem berühmten Franzosen, der, wie Felix Braun es nannte, Wildgans einen *„schmerzlichen Blick in die Dämonie des unteren Lebens"* gewährte, lag in ähnlichen Jugendjahren (früher Tod des einen Elternteiles, Wiederverheiratung des anderen, tiefe Einsamkeit des Kindes) und in der gleichen seelischen Grundstimmung. So ergab sich die Wahl derselben Motive in beider Lyrik: Elend, Leid, Laster und Verbrechen wurden gestaltet, von Wildgans allerdings mit starkem, versöhnendem, keineswegs ausweglosem Ausklang. Denn diese herztiefe Menschlichkeit, das Schicksal anderer in seinem Innern zu erleben, besaß der Österreicher in noch reicherem Maße als der Franzose. Von diesem übernahm er auch den berauschenden, überströmenden Farbenreichtum an Gold, Silber und Purpur, der ihm in seiner eigensten Prägung oft zum Anlaß herber Kritik wurde.

Die Auswahl des vorliegenden Bändchens zeigt Wildgans' tiefe Naturverbundenheit in den musikerfüllten Heimatgedichten, bringt Verse, in denen er zum Anwalt der Bedrückten und Unterdrückten wird, innige Liebeslyrik und seine Bekenntnisse zur Kunst. Innerhalb dieser Gruppierung kann man oft zwei für ihn typische Komponenten finden: eine erdverbundene Triebhaftigkeit und eine weltabgekehrte Gottesnähe. Ihr stetes Ringen kennzeichnet seine Dichtung und sein Leben. Formal erweist sich Wildgans als ein Künstler der Laut- und Wortmusik, der jambische und trochäische Versmaße sowie freie Rhythmen bevorzugt und mit besonderer Meisterschaft das Enjambement (Übergreifen eines Satzes in den nächsten Vers) handhabt.

Der „geborene Lyriker" Wildgans läßt auch in seinen dramatischen Werken deutlich die Lyrik als treibende Kraft erkennen *(„Nahezu alle Motive, die in meinen Dramen angeschlagen sind, haben ihre Vorzeichen in meinen Gedichten ...")*. Im Mittelpunkt dieses Schaffens, das durch die Verleihung von drei österreichischen Literaturpreisen (Raimund-, Bauernfeld- und Volkstheaterpreis) seine Anerkennung fand, stehen nach einigen Jugendversuchen seine *„Bürgerlichen Dramen": „In Ewigkeit Amen!", „Armut", „Liebe"* und *„Dies irae"*, in denen er mit psychologischem Scharfblick und verstehender Einfühlungsgabe die immer wiederkehrenden Probleme des Aneinandervorbeilebens in den Bürgerhäusern der Vorkriegszeit zu enträtseln suchte. Es sind nach seinem eigenen Bekenntnis *„Dramen der tragischen Atmosphären und der tragischen Menschen."* Die Tragik des Mitmenschen, der sozialen Unzulänglichkeit, der Ehe und der Eltern im Verhältnis zu ihren Kindern ersteht aus maßloser Ichsucht und zu geringer Entsagungsbereitschaft. Der Psychoanalytiker des Theaters, Arthur Schnitzler, scheint ihn zu beeinflussen, und doch geht es Wildgans nicht so sehr um das Geschlechtliche, Triebhafte. *„Nicht der proletarische, nicht der psycho-*

logische, nicht der erotische Aufruhr war der seine", stellte Felix Braun[11] fest; *„er sah den Menschen als Ganzheit, gleichgültig, zu welcher Gemeinschaft er zählen mochte, in der Gefahr dämonischer Innenwelten, durch deren Tiefen kein Rettungslot hinablangt."* Leider war es dem Dichter nicht mehr gegönnt, seine *„Menschheitsdramen"*, die er für sein Hauptwerk hielt, zu vollenden. *„Kain"*, *„Moses"* und *„Christus"* wollte er gestalten; nur die Exposition des einaktigen Dramas *„Die Berufung"* wurde fertig. Dieses Werk war als erster Teil der geplanten *„Moses"-Trilogie* gedacht, der Tragödie des Führers, der an den Geführten zugrunde geht.

Das Trauerspiel *„Armut"*, aus dem diese Auswahl den dichterisch vollendetsten und menschlich ergreifendsten Ausschnitt *(Actus mysticus, 4. Akt)* bringt, führt in die Familie des armen Postbeamten Spuller, dessen Kinder, Gottfried und Marie, unter unsäglichen Opfern der Eltern aufwachsen, weil diese glauben, wenigstens den Schein wahren zu müssen. (In ihnen spiegelt sich das tragische Beamtenelend des kleinen Mittelstandes, der in „verschämter Armut" mitten im Scheinglanz der untergehenden Monarchie lebte.) Der stets gütige Vater, der durch Verzicht und Entsagung milde und müde geworden ist, fühlt sich am Ende seiner Kraft und bricht zusammen, während die Mutter infolge der langjährigen Entbehrung verschlossen und hart wird. Als ihr der Arzt, ein alter Freund ihres Vaters mitteilt, daß weitere Opfer für den Todkranken vergebens seien, nimmt sie es auf sich, nicht noch das Letzte zu verpfänden und dadurch die Zukunft der Kinder zu gefährden, sondern läßt den Armen sterben. Gottfried erkennt die furchtbare Lage, ohne jedoch helfen zu können; Marie bietet sich sogar dem ungeliebten Zimmerherrn an, um die Summe zu erlangen, die für einen Kuraufenthalt nötig wäre, aber ihr Opfer erübrigt sich. Den Sterbenden, den die erst jetzt geoffenbarte Liebe des Sohnes beglückt, tröstet schließlich der Tod in Gestalt des Amtsvorstandes, und die Hinterbliebenen tragen weiter das Schicksal ihrer Armut wie eine heilige Verpflichtung.

Nach Vollendung dieser zutiefst erlebten Dichtung konnte Wildgans (im Brief vom 2. April 1914) seiner Frau bekennen: *„Ich habe das Gefühl, daß ich nicht umsonst gelebt habe."* Im Rahmen des großen Motivkreises „Leben — Tod" gestaltet der mitleiderfüllte Dichter gleichsam als Gegenbild zu Hofmannsthals *„Jedermann"* — das Sterben des armen Mannes, dem inmitten einer Scheinwelt die Armut zum Schicksal geworden ist, und der sich nach der rechten Daseinsordnung sehnt. Im Mittelpunkt des vierten Aktes aber steht das von Wildgans selbst durchlittene Vater-Sohn-Problem. *„Nur ermöglicht die Dichtung"* — wie Lilly Wildgans ausführt — *„in der Sterbestunde des geliebten Vaters den beiden ein Gespräch, das in beseligendem Strömen endlich alle Hemmungen zu beseitigen vermag, während solche Erlösung im wirklichen, unerbittlichen Leben dem Sohne versagt blieb."* Eine Eigeninterpretation des Dichters bietet der Brief vom 12. August 1915.[12] Aber nicht nur die für Wildgans typischen Probleme birgt dieser einzigartige *„Actus mysticus"*, er leuchtet noch tief hinein in die psychologischen Charakterporträts seiner Hauptgestalten Spuller und Gottfried sowie in die tiefe Symbolik des allegorischen Todes. Auch die schöne sprachliche Formung des Aktes trägt den beiden Welten Rechnung: Die bedrückende Enge der Armutsatmosphäre unterstreicht die naturalistische, meist satirisch untermalte Alltagsprosa Gottfrieds, während eine hymnische Verssprache die Gespräche zwischen Vater und Sohn bzw. zwischen jenem und dem Amtsvorstand mit einem Hauch des Überirdischen verklärt.

Hinter den großen Leistungen des Lyrikers und Dramatikers scheint der Epiker Wildgans etwas zurückzutreten. Aber auch er schuf Meisterhaftes. In den gesammelten Werken kann man die interessante Entwicklung des Erzählers von seiner Jugendprosa bis zu den Höhen seiner Kunst verfolgen. Das Zentralwerk stellt hier sein großes satirisches Versepos *„Kirbisch oder der Gendarm, die Schande und das Glück"* dar, das auch — allerdings nicht sehr glücklich — mit Paula Wessely *(„Cordula")* verfilmt wurde. Die Handlung dieser satirisch-humoristischen Dichtung, aus der in der folgenden Auswahl der 12. Gesang veröffentlicht wird, spielt während des ersten Weltkrieges im Hinterland. Sie berichtet von Cordula, einer jungen, gütigen Magd, die in einem Gasthof von Übelbach als Kellnerin tätig ist. Daß sie von ihrem Geliebten, dem Forstadjunkten Fleps, ein Kind erwarte, gesteht sie diesem, als er auf Urlaub zu Hause weilt und prahlerisch von seinen „Kriegstaten" erzählt. Doch dieses Geständnis beeindruckt ihn wenig; viel mehr entzückt ihn die Frau des Dorfgendarmen Kirbisch, der er nach einer verlockenden Begegnung ständig den Hof macht. — Als am Fronleichnamstag das „friedensmäßige Mahl" den Zorn des Bezirkshauptmannes erregt und dieser wegen „Nichteinhaltung der Kriegswirtschaftsvorschriften" den Gendarmen zur Rechenschaft zieht, beschlagnahmt Kirbisch aus Angst vor der angedrohten Frontdienstverwendung alle verbotenen Waren im Dorfe. Jeder sucht nun seine Gunst zu erlangen und ihn auf irgendeine Weise zu bestechen, so daß sich seine Speisekammer von Tag zu Tag mehr füllt. Als er schließlich einmal mit seiner Frau und deren Geliebten, dem Leutnant Fleps, im Gasthaus Pschunders erscheint, wird er durch die große Unterwürfigkeit der Dorfbewohner für die „überfriedensmäßige Schlemmerei" gewonnen. Während den Pfarrer dieser gottlosen Gemeinde bei der Vorbereitung einer prophetisch-visionären Predigt, in der er über die Menschheit Gericht hält, der Tod ereilt, soll die von Fleps treu- und gewissenlos verlassene Cordula zum Spaß der Kirtagsbesucher mit dem einfältigen Knecht Vitus getraut werden. Doch es gelingt ihr, dem ausgelassenen Treiben dieser hemmungslosen Menschen zu entfliehen. Sie tritt den Kreuzweg ihrer Liebe allein an, aber getragen von dem Glauben, daß mit ihrem Kind wieder das Gute in die Welt kommen und das Böse besiegen werde.

Wie immer bei Wildgans geht es auch hier um die Einordnung in eine Gemeinschaft, die der Krieg und dessen entsittlichende Wirkung zerstören. An mehreren Gegenbildern guter und schlechter Menschen, die zum größten Teil als Typen erscheinen, versuchte der Dichter die Mißstände des Schiebertums und der Korruption während des ersten Weltkrieges in einem Dorf (Übelbach) aufzuzeigen, das er in seiner Kritik jener ethischen Zustände zum Sinnbild der Welt überhaupt erweiterte. Zum erstenmal in seiner Dichtung gestaltete Wildgans hier das Böse und rief im Glauben an das Gute im Menschen diese auf, das Satanische durch Liebe, Menschlichkeit und Mitleid zu überwinden. In drei Episoden (wie der Untertitel besagt) und zwölf Gesänge gliederte er dieses gewaltige epische Zeit- und Weltbild, das nach dem hohen Vorbilde Homers (auch Wildgans greift hier wie der Grieche zu den „Epitheta ornantia", d. h. zu den schmückenden Beiwörtern, wie: „der lendengewaltige Selcher" etc.) zu einem Meisterepos des 20. Jahrhunderts wurde.

Der Prosaepiker Wildgans schenkte uns mit seinem preisgekrönten (Preis der Stadt Wien, 1928) Erinnerungsbuch „*Musik der Kindheit*" eine sehr schöne, lyrisch durchsetzte Selbstbiographie seiner Jugendjahre, aus der in diesem Auswahlband „*Die alte Josefstadt*" von der Kunst des Dichters, Vergangenes in wehmütiger Erinnerung wieder lebendig werden zu lassen, Zeugnis ablegt. Eine Probe seiner essayistischen Fähigkeiten bietet außer der schon erwähnten „*Rede über Österreich*" der bekenntnisreiche Aufsatz „*Von schöpferischer Eingebung und künstlerischer Arbeit*", der von dem verantwortungsbewußten Menschen und Künstler kündet. — Nicht zuletzt möge hier des Briefschreibers Wildgans gedacht werden, der es als seine Aufgabe betrachtete, mit gewissenhafter Strenge der unbedingten Wahrhaftigkeit zu dienen und nichts zu beschönigen. Seine schönen Briefe, von denen dieser Band nur wenige Ausschnitte bringen kann, geben — ähnlich wie seine fragmentarische Selbstbiographie *„Mein Leben"* — einen analysierenden Rechenschaftsbericht über sein Werden und Wollen.

So wurden Leben und Werk dieses Dichters zum Zeugnis des schlechthin Menschlichen, das Wildgans immer wieder in seiner „Mitleidsdichtung" verkündete und selbst verkörperte. Sein literarischer Typ ist — nach der treffenden Charakterisierung Ernst Wurms — *„die Repräsentanz des sprachgewordenen Herzens und des moralischen Gewissens, wie bei Gerhart Hauptmann (der ihn ungemein hoch geschätzt hat) zu Mitleid sublimiert, die er als dichterische Mission empfunden hat."*

Was er als kostbares Vermächtnis für die kommenden Generationen hinterließ, ist vielleicht nicht immer gebührend gewürdigt worden, obwohl der Dichter dreimal für den Nobelpreis vorgeschlagen wurde. Heute bemüht sich vor allem die österreichische Literaturforschung, seinem Schaffen gerecht zu werden: durch die historisch-kritische Ausgabe seiner Werke, die Veröffentlichung seiner Briefe. Mehrere Dissertationen sind dem großen Lyriker und Dramatiker gewidmet. Die „Wildgans-Gesellschaft" und die Witwe des Dichters sind bestrebt, das dichterische Erbe lebendig zu erhalten. Mochte auch mancher Schatten das Leben Anton Wildgans' wie das Grillparzers, dem er sich in manchem sehr verwandt fühlte, verdunkeln, das Licht kam ihm aus seiner eigenen weisen Erkenntnis:

„Wer im Werk den Lohn gefunden,
ist vor Neid und Leid gefeit,
denn er hat sich überwunden
und kann warten und hat Zeit."

Dr. Hans Vogelsang

1 S. W., II., 419 ff.
2 vgl. dieses Kapitel in folgender Auswahl
3 vgl. das Gedicht „Ich bin ein Kind der Stadt" in dieser Auswahl
4 vgl. das Gedicht „Dienstboten" in dieser Auswahl
5 vgl. „Musik der Kindheit" S. W., VI., 19 f.
6 vgl. die Briefauswahl dieses Bändchens
7 vgl. den Brief vom 11. 2. 1925
8 vgl. „Häftlinge" in der Gedichtauswahl
9 vgl. diesen Brief in vorliegender Auswahl
10 Briefe, III., 253
11 „Das musische Land", S. 211
12 vgl. die Briefauswahl dieses Bändchens

Lyrik

AUFBLICK

Gewöhne deinen Blick an Weiten,
In denen hohe Wolken gleiten
Von West nach Ost, von Nord nach Süd!
Doch schauend ins Gebiet der Sterne,
Vergiß nicht über ihrer Ferne
Der Erde, die zu Füßen blüht!

Aus Nahgefühl und aus Entrückung
Gemischt ist irdische Entzückung,
Nur e i n s von beiden wäre Wahn;
Das Auge, scharf auf das, was seiend,
Und sich vom Seienden befreiend,
Sieht Welt und Himmel aufgetan!

GLÜCK DES ALLEINSEINS

Glück des Alleinseins, All- und Einessein —
Wie sehnte sich der Jüngling einst nach Paarung!
Und jetzt der Mann, in tiefster Icherfahrung,
Kennt nur das eine, klare Glück: Allein!

Ganz anders wachst du auf, gehst in den Tag,
Wenn des Alleinseins gnadenvolle Stille
Dein erstes Schaun empfängt, kein fremder Wille,
Wenn auch verschwiegen, deinen kreuzen mag.

Du prüfst die Stimme, siehe, und sie klingt,
Horchst auf dein Herz, und brav ist es am Werke,
Der Atem geht, treu blieb des Armes Stärke,
Gehöres Lust, Aug', das zur Sonne dringt.

Du warst gewohnt, dies, weil es immer war,
Kaum zu beachten unter deiner Habe;
Doch nun auf einmal ahnst du: eine Gabe!
Und es ist Glück und mehr denn wunderbar.

Stand nicht der Strauch dort all die Jahre lang
An jenem Weg, den du so oft gegangen,
In andrer Ich, Gesetz und Lust befangen,
Stand er nicht dort in Herbst und Blütendrang?

Und nun urplötzlich wirst du sein gewahr
Und knieest hin und streichelst seine Zweige,
Als ob sich Gott in diesem Busch dir zeige —
Glück des Alleinseins, Gabe wunderbar!

Und er, der schwieg, als du zu ihm geschrien,
Daß dir, auch dir ein Menschenherz gebühre,
Tritt aus dem Busch, auf daß er dich berühre,
Und alle seine Engel sind um ihn.

Und löst von deinen Sinnen alles Band
Und deutet dir die Fülle der Gesichte,
Und seine unvergänglichen Gedichte
Befiehlt er einer armen Menschenhand.

RAST IM MITTAG

Gefällte Stämme, blankgeschält,
Sind aufgehäuft am Straßenrande,
Ein Duft von Harz und Hitze schwelt
Von ihnen auf im Sonnenbrande.

Da bett' ich mich und liege hart
Und liege doch so weich in Träumen,
Hoch oben stille Wolkenfahrt,
Tief unten Sturzbachs dumpfes Schäumen.

So ist mir zwiefach auch zumut:
Im Haupt Gedanken, klarbeschwingte,
Doch tiefer unten rauscht das Blut,
Das finsternis- und erdbedingte.

Es rauscht das alte Schicksalslied
Vom Abgrund, der die Welten scheidet,
Vom Leben, das den Geist verriet,
Vom Geiste, der das Leben meidet.

Und ist doch, der es tiefer kennt,
Dem Lauscher in der Stürze Toben
Ein und dasselbe Element:
Der Urlaut unten und die Stille oben.

ZUEIGNUNG AN DIE GELIEBTE LANDSCHAFT

Nun steigen wieder die geliebten Hügel
Allmählich auf am Rand des weiten Blaus,
Darüberhingewiegt auf zartem Flügel
Ruht Wolke neben Wolke freundlich aus.
Der Kutscher hält, springt ab, versorgt die Zügel,
Mit trauten Fenstern grüßt das alte Haus,
Gastlich bereit dem eingekehrten Wandrer,
Andacht umfängt mich, und ich bin ein andrer.

Und alles, was noch gestern mochte quälen
Und nachgewirkt auf einsam-langer Fahrt,
Vermag nicht mehr zu wiegen und zu zählen,
Ist aufgelöst in heitre Gegenwart;
Mag dies Bequeme, jenes Buch auch fehlen,
Mehr, als mir mangelt, bleibt mir hier erspart,
Und leise schon in Klängen und Gestalten
Versucht es sich zu regen und entfalten.

Doch erst ein rascher Gang auf alten Wegen!
Begierig holt der Blick die Bilder ein,
Liebkost die Wiesen, überprüft den Segen
Der Frühlingssaat, ruht auf bemoostem Stein,
Liest aus den Wolken Sonne oder Regen,
Verfolgt den Vogelflug ins Blau hinein
Und deutet das bescheidenste Begebnis,
Denn hier ist alles Zeichen und Erlebnis.

Die Straße jetzt, die Bank, die lieben Mühlen,
In fichtendunklen Grund hineingebaut!
Treibender Wildbach du mit deinem kühlen
Kristallgeschäum und Silberschellenlaut,
Du Übermut, du ungestümes Wühlen,
Du Schimmelfohlen, das den Strang zerhaut,
Schäum', springe zu, doch brich mir nicht das alte
Nährmütterliche Rad, das Gott erhalte!

Und nun zur Höhe! In den nadelglatten
Waldboden greift bewehrten Schuhs Gewicht,
Ein Schildhahn knattert auf aus nahem Schatten,
Ein Reh bricht durch, schon wird es birkenlicht!
Nun Krüppelhölzer, Honigduft und Matten,
Aus weichem Grün starrt graues Urgeschicht,
Schneehaldenwind kommt nördlich hergewettert —
Das Land liegt da, der Gipfel ist erklettert!

Da steh' ich, felsverstemmt, und lach' der Stöße
Des Sturmbocks, der mich unentwegt berennt,
Und denk' mir scherzend meine Mannesgröße
Vom Riesenmaß des Berges ungetrennt;
Ich spiele Atlas! Braunen Nackens Blöße
Strafft sich, als würde ihr das Firmament,
Das eherne Gewölb der Myriaden
Von kreisenden Gestirnen aufgeladen.

O, diese Lust der unbedingten Kräfte,
Die jeden Nerv und Muskel hier durchschwingt
Und aus dem Umlauf neubelebter Säfte
Zum Gipfel der Gedanken zeugend dringt!
Da wird zum göttlich spielenden Geschäfte,
Was sonst gehemmter Brust sich schwer entringt:
Wie erdentrückt der Geist sich auch gebärde,
Sein Ewiges kommt ewig aus der Erde!

Ja, Erde du, dich hab' ich lang vermieden,
Vom Wahn und Reiz der großen Stadt betört!
Wieviel sie auch dem Lernenden beschieden,
Den Bildenden hat sie zumeist verstört;
Erst schlichter Landschaft gnadenvoller Frieden
Hat seiner Seele Zuruf angehört
Und ihn gelehrt, bekenntnisreiches Stammeln
In klare Formen ordnend einzusammeln.

Nun dunkelt es. Schon lösen hin und wieder
Sich Eulen schattenhaft von Baum zu Baum,

Sanft führt der Weg zum Dorf der Menschen nieder,
Schon Turmuhrklang, schon letzter Waldessaum,
Nun Dachgedränge, Gärten, Stimmen, Lieder!
Es trägt mich trunken heimwärts wie im Traum —
Die Kerze brennt, das Auge fühlt nach innen:
Mein Leben liegt vor mir! Ich kann beginnen.

ICH BIN EIN KIND DER STADT

Ich bin ein Kind der Stadt. Die Leute meinen,
Und spotten leichthin über unsereinen,
Daß solch ein Stadtkind keine Heimat hat.
In meine Spiele rauschten freilich keine
Wälder. Da schütterten die Pflastersteine.
Und bist mir doch ein Lied, du liebe Stadt!

Und immer noch, so oft ich dich für lange
Verlassen habe, ward mir seltsam bange,
Als könnt' es ein besondrer Abschied sein;
Und jedesmal, heimkehrend von der Reise,
Im Zug mich nähernd, überläuft's mich leise,
Seh' ich im Dämmer deine Lichterreihn.

Und oft im Frühling, wenn ich einsam gehe,
Lockt es mich heimlich-raunend in die Nähe
Der Vorstadt, wo noch meine Schule steht.
Da kann es sein, daß eine Straßenkrümmung,
Die noch wie damals ist, geweihte Stimmung
In mir erblühen macht wie ein Gebet.

Da ist der Laden, wo ich Heft und Feder,
Den ersten Zirkel und das erste Leder
Und all die neuen Bücher eingekauft,

Die Kirche da, wo ich zum ersten Male
Zur Beichte ging, zum heiligen Abendmahle,
Und dort der Park, in dem ich viel gerauft.

Dann lenk' ich aus den trauten Dunkelheiten
Der alten Vorstadt wieder in die breiten
Gassen, wo all die lauten Lichter glühn,
Und bin in dem Gedröhne und Geschrille
Nur eine kleine ausgesparte Stille,
In welcher alle deine Gärten blühn.

Und bin der flutend-namenlosen Menge,
Die deine Straßen anfüllt mit Gedränge,
Ein Pünktchen nur, um welches du nicht weißt;
Und hab' in deinem heimatlichen Kreise,
Gleich einem fremden Gaste auf der Reise,
Kein Stückchen Erde, das mein Eigen heißt!

ÖSTERREICHISCHES LIED

Wo sich der ewige Schnee
Spiegelt im Alpensee,
Sturzbach am Fels zerstäubt,
Eingedämmt Werke treibt,

Wo in der Berge Herz
Dämmert das Eisenerz,
Hammer Gestein zerstampft,
Zischend die Schmelzglut dampft,

Wo durch der Ebene Gold
Silbern der Strom hinrollt,
Ufer von Früchten schwillt,
Hügelan Rebe quillt,

Wurzelheil, Kraft im Mark,
Pflichtgewillt, duldensstark,
Einfach und echt von Wort
Wohnen die Menschen dort.

Pflügerschweiß, Städtefleiß
Hat da die rechte Weis!
Was auch Geschick beschied,
Immer noch blüht ein Lied.

Österreich heißt das Land!
Da er's mit gnädiger Hand
Schuf und so reich begabt,
Gott hat es liebgehabt.

Euch singe ich, ihr künftigen Geschlechter,
Von denen, die schon fast vergangen sind,
Als ihrer einer, der ich bin: ein echter
Altösterreicher und ein Wiener Kind.

Klein bist du zwar, mein Vaterland, geworden,
Ein Baum, entblättert durch der Zeiten Sturm,
Sieht deine Grenzen doch nach Ost und Norden
Beinah der Wächter jetzt vom Stephansturm.

Und was da fiel, sind leider nicht nur Blätter,
Abbrach auch mancher engverwachsene Ast.
Doch immerhin: das Herzland deutscher Väter,
Der Stamm blieb zwar nicht ganz, doch blieb er's fast.

Er war's ja immer, den wir heimlich meinten,
Wenn unsere Lippe aussprach: Österreich.
Denn all die anderen mit uns Vereinten
Empfanden fremd, zum mindesten nicht gleich.

Wir aber fühlten diesen alten Namen
Wie Heiliges, aus dem ein Schauer weht.
Und Millionen Herzen schlugen Amen
Zu diesem Namen wie auf ein Gebet.

Von eben diesen Herzen will ich künden —
Nicht nur als Anwalt der Vergangenheit:
Sie hatten ihren Irrtum, ihre Sünden.
Wer hat sie nicht: welch Volk und welche Zeit?

Wohl wahr, sie schienen unbesorgte Zecher
An ihren Tischen, schön und wohlbestallt.
Allein die Neige ihrer heitren Becher
War nie der Haß, ihr Rausch war nie Gewalt!

Sie trauten ihren Obern leicht wie Kinder
Und hielten Treu', selbst wo man sie verriet.
Je nun, die Treue ward darob nicht minder,
Vielleicht gerad darum zum hohen Lied.

Von Freiheit hörte man sie wenig schreien,
Und als sie kam, kam sie fast unverhofft,
Doch war es nicht Gehorsam von Lakaien,
Wer innen frei, fügt sich nach außen oft.

Sie ließen ihre Waffen gerne rosten,
Brauchten als Feldruf: Kaiser und Altar.
Doch wo sie standen, hielten sie den Posten,
Selbst wenn der Posten ein verlorner war.

Sie lebten gern für sich und ihre Erben
Und freuten sich an ihrem Eigentum,
Doch wie zu leben, wußten sie zu sterben,
Und ungeheuer strahlt ihr Dulderruhm.

Unendlich ist, was dieses Volk gelitten:
Erniedrigung, Verfolgung, Hunger, Leid —
Und trug es stark und trug's mit sanftem Bitten
In Stolz und Demut seiner Menschlichkeit.

VOM KLEINEN ALLTAG

1.

Nichts ist so rührend wie die Habseligkeiten
Der Toten, ihre Kleider und Wäsche und alle
Die kleinen, verlassenen Gegenstände. Sie liegen
So arm umher und warten, daß wieder Hände
Sie nehmen mit wärmenden, zärtlichen Fingern.
Sie frieren so sehr und haben auf einmal Augen,
Die bitten, sie nicht zu verachten. Aber da kommen
Die Menschen, sie teilend nach Wert und Unwert, legen,
Was brauchbar, beiseit' und häufen das andre zusammen.
So manches findet sich da. So hat sich der Tote
Noch neue Brillen gekauft; in seiner Brieftasche
Sind noch Marken und in der Schreibtischlade
Drei, vier Zigarren, gespart für besonderen Anlaß.
Nun nimmt sie der Erbe und prüft sie, ob sie auch trocken.
Dann zündet er sich eine an und raucht sie...

2.

Man muß die Frauen der kleinen Beamten sehen,
Den Korb am Arm, wie sie einkaufen und bei den Ständen
Der Grünzeughändler stehen, aus den Gemüsen
Das Billigste wählen und da noch zu feilschen versuchen.
Lang währt solcher Einkauf, und oft muß die Hand,
Die mühsam gepflegt und weiß erhaltene,
Was schon sie ergriffen, wieder hinlegen, weil es
Zu teuer. Aber die Blicke ruhn noch darauf.
Da kommen und drängen sich dicke Köchinnen vor

Und fassen mit roten, rohen, unbedenklichen Händen
Nach diesem und jenem, was kostbar und gut ist,
und kaufen
Mit fremdem Gelde für Leute, die sie nicht lieben.
Und jene hätten das zarte Gemüse, das junge,
Dem müden Manne süß-sorgend bereitet als erste
Gabe des Frühlings — nur um ein Lächeln.

3.

Die armen Leute ziehen am Sonntag hinaus
Ins Grüne. Sie nehmen sich Kaltes und Brot mit.
Dann liegen
Sie auf den Wiesen und lassen die Sonne scheinen
In ihre enterbten Gesichter, dehnen die Körper
Im Gras und fühlen der duftenden Erde kühle
Berührung. Die blonden, blutleeren Mädchen lachen
Zuweilen und haben die Hände voll Blumen. Die
Frauen
Berechnen, indes sie stricken, die Kosten des Tages.
Die Männer sind müde und schlafen bis in den Abend.
Dann wandern sie an den Gärten vorüber, aus denen
Musik und Lichter locken, der Duft von Speisen
Und das Gesumme vieler fröhlicher Menschen.
Da klagen die Kinder: „Hunger!" Und sind von
den Zäunen
Der hellen Gärten nicht wegzubringen.
Aber der Vater sagt herb: „Das ist nichts für uns..."

4.

Arbeiter reißen die Straße auf — Nun läuten
Die Glocken zu Mittag. Da klirrt der erhobene
Arm mit dem Spaten noch einmal nieder. Dann
gehn sie

Langsam zu ihren Röcken, die wie ein Haufen von Lumpen
Am Straßenrand liegen, und nehmen aus ihren Taschen,
Gewickelt in alte Zeitung, ihr Essen.
Stehend nun lehnen die einen ihre verkrümmten Rücken
An eine Mauer im Schatten. Andere liegen,
Die Pfeife rauchend, der Länge nach auf dem Boden.
Andere schlafen. Alle schweigen. Die Sonne
Glüht senkrecht herab. Nur manchmal ein Luftzug treibt einen
Der weggeworfenen Zeitungsfetzen raschelnd
Über das Pflaster. Ein alter zerlumpter Mensch
Kommt da um die Ecke und bückt sich mühsam nach jedem
Stückchen Papier, faltet es sorgsam und gibt es
In einen Korb wie etwas Kostbares. — Immer sind andre noch ärmer.

DIENSTBOTEN

Sie sind immer nur da, um zu dienen,
Niemand fragt sie nach ihrem Begehr.
Solang sie gehorchen, ist man zu ihnen
Freundlich so wie zu Fremden — nicht mehr.

Sie wohnen mit uns im selben Quartiere,
Aber für sie muß der schlechteste Raum
Gut genug sein. Für unsere Tiere
Sorgen wir zärtlicher als für ihre
Menschlichen Wünsche — die kennen wir kaum.

Sie sind die Hände, die nie bedankt sind,
Wir wechseln sie aus wie den brüchigen Stahl
Einer Radachse. Wenn sie erkrankt sind,
Müssen sie aus dem Haus, ins Spital.

Manchmal könnte ein Wort der Güte,
Ein Tag im Frühling, um auszuruhn,
In ihrem verdrossenen Gemüte
Eine verschämte, schüchterne Blüte
Leise erwecken und Wunder tun.

So aber sind sie gewohnt, die letzten
Bei allem, was freut und nottut, zu sein,
Und werden wie alle Zurückgesetzten
Entweder gebrochen oder gemein.

Manche freilich, die haben ohne
Haß dem eigenen Leben entsagt,
Waren Mütter an fremdem Sohne,
Tragen eine heimliche Krone
Wie Maria, die Magd.

EINEM JUNGEN RICHTER ZUR BEEIDIGUNG

Du bist so jung! War nicht in deiner Hand,
Die vor dem Kreuze du erhobst zum Eid,
Ein Zittern noch gerührter Eitelkeit,
Die zu dir raunte und dich überwand:
O, über Nacht ist Macht
In mich gekommen, viele Macht —!?

Du Kind, den Büchern kaum
Entwachsen, wissend kaum, was Leben
Und Jammer ist, du, wie ein junger Baum
Noch biegsam, Kind du: über allem Traum
Von Macht und Ich ist die Gerechtigkeit
Und das Gesetz, an dessen Purpursaum
Du deine Finger legtest heut' zum Eid.

Vergiß es nicht, du bist ja auch nur Mensch
Und so wie wir, die deines Spruches warten,
Und dieses Leben ist ein wirrer Garten,
In dem das Unkraut wuchert und der Edeltrieb
Sich spärlich fristet. Hab ihn lieb
Und such' ihn überall! Denn es kann sein,
Daß er in Dornen ist. Und wenn du strafst,
Weil das Gesetz es will, tu's nicht erbost
Wie eine Rache, sondern so, daß Trost
Noch ist in der Notwendigkeit!

Und glaube jenen nicht, die Zahn um Zahn
Und Aug' um Auge heischen! Dies ist der Wahn
Und rührt aus einer blutig-finstern Zeit!
Du aber diene deiner! Denn sie schreit
Nach ihrem Recht. Ihr Recht ist deine Pflicht.
Drumm sei auch nicht
Büttel und Sklave am geschriebnen Wort!

Denn alles, was geschrieben steht, verdorrt,
Wenn es gedankenlos ein stumpfer Knecht
Betreut. Den Gärtner braucht das Recht,
Den selbstlos-weisen, der mit seinem Blut
Den Weinberg düngt. Denn ohne dies
Wird das Gesetz zum Hohn, und die Gerechtigkeit
Ein eitel Haschen nach dem Wind!
So gib auch du dein warmes Blut, du Kind,
Und all dein Herz! Denn dieses will dein Eid.

HÄFTLINGE

Vom langen Gange im Landesgericht
Sieht man hinaus auf den Sträflingstrakt.
Dort drückt sich manches blasse Gesicht
Auf Schultern, in graues Zeug gesackt,
An die Fensterstäbe und blinzelt ins Licht.

Und unten im Hofe, Paar für Paar,
Um das Viereck von Sträuchern und tristem Grün,
Wandert, wie Tiere im Kreis, eine Schar,
Und hinter der Augen verlorenem Glühn
Wandert mit ihnen, was draußen war.

Die beiden Soldaten, die Posten stehn,
Wachen nur, daß keiner der Reihe entbricht,
Aber die Bilder, die mit ihnen gehn,
Immer im Kreise, die sehen sie nicht,
Die beiden Soldaten, die Wache stehn.

Und war's auch nur Elend, was jeder verließ,
Jetzt ahnen sie erst, wie viel es war,
Dies Elend, das immer noch Freiheit hieß
Und ihnen abfiel so fremd wie das Haar
Vom Kopf, den man jedem scheren ließ.

Und ist ihrer keiner so sehr verrucht,
Daß nicht irgendwer seine Unschuld beschwört
Und für ihn betet und für ihn flucht
Auf Gott, der nur die Reichen erhört
Und die Armen preisgibt und sie versucht.

Und jeder von ihnen war einmal gut
Und hatte was lieb und hatte Scham,
Bis plötzlich ein Fremdes wie jähe Flut
Ihn überschwemmte und mit sich nahm;
Für diesen war's Geld und für jenen war's Blut.

Nun gehn sie im Hofe Paar für Paar
Um das Viereck von Sträuchern und tristem Grün,
Immer im Kreis, eine brütende Schar,
Und hinter der Augen verlorenem Glühn
Wandert mit ihnen, was draußen war...

HEILIGER HERBST

1.

So gingen wir selbander Hand in Hand
Den schmalen Weg, den lieben Berg empor,
Und oben winkte Zinne, Turm und Tor,
Umrauscht, umbauscht von roter Wipfel Brand.

Doch unten lag das herbsterblichene Land:
Die Ebene im dünnen Silberflor
Von Blond, das noch nicht alles Gold verlor,
Und, lose drin, des Stromes blaues Band.

Da sah ich selig auf dein junges Haar
Und fühlte deiner Hände warmes Leben
Und wie in ihnen zehnfach Seele war

Von jedes Fingers eigenem Erbeben;
Und deine Augen sprachen lieb und klar,
Daß alles dies mir zärtlich hingegeben.

2.

Und oben hauste frech und froh der Wind,
Zauste das Laub und fegte scharf die Matten,
Doch wir, geschmiegt in einer Mauer Schatten,
Lagen im Grase froh, wie Kinder sind.

Tief unten graut die Stadt. — Von Dünsten blind
Glimmen die Kuppeln, Dächer und die matten
Fenster, indessen aus den nimmersatten
Schloten und Essen brauner Qualm zerrinnt.

Mich lockst du nimmer, kauernder Koloß,
Trügender Tröster rastloser Gehirne!
Was ich von dir gelitten und genoß,

Bin ich wie eine mürbe Maske los
Und lege dankbar die befreite Stirne
In dieses Kindes mütterlichen Schoß.

3.

So lag ich lang, tief atmend das Arom
Des jungen Leibes und dies reiche Schweigen,
Und hörte deine Seele niedersteigen
Zu deines Schoßes ahnungsvollem Dom.

So klein bin ich, ein Mensch nur, ein Atom
Und ausgeschaltet aus dem ewigen Reigen.
Wenn nicht durch dich, was mir als Tiefstes eigen,
Einmünden darf in alles Lebens Strom...

Der Abend kam, wir schritten in das Tal —
Nie war ein Tag so feierlich verklungen!
Wie Glockentöne, ernst und keusch verschlungen,

Sangen die Seelen innigsten Choral;
Da lauschten wir und nahmen tiefbezwungen
Der höchsten Liebe heilig Abendmahl.

KAMMERMUSIK

Ein Wintersonntag, traute Abendneige,
Da kommen Freunde zur Musik ins Haus.
Schon packen sie die Instrumente aus,
Ich höre heut' nur zu und träum' und schweige.

Ans Fenster pocht gefrorenes Gezweige,
Im Ofen summt gedämpftes Sturmgebraus.
Nun wählen sie ein Stück von Mozart aus,
Mein Ältrer spielt statt mir die erste Geige.

Wie er die Geige nimmt, die Geige hält!
Seh' ich mich selbst im Traum? Sind diese herben
Und klaren Töne nur von i h m beseelt?

Fühlt d i e s ein Kind? Kann man sich s o vererben?
Da weiß ich tief: Musik bleibt in der Welt,
Musik aus meinem Blut! Und ruhig darf ich sterben.

HELLDUNKLE STUNDE

Manchmal befällt's mich, daß ich denken muß,
Ich stürbe bald und ließe ungetan
Mein Werk zurück, zu dem ein strenger Plan
Mich rastlos drängt nach höherem Beschluß.

Nur dies, nicht eitel Haschen nach Genuß,
Klammert mich fest an dieses Leben an,
Das, zwischen Nichts und Nichts ein schwanker Kahn,
Rasch übersetzen darf der Dinge Fluß.

Der ist zu sehr bewegtes Element,
Um, was nicht Licht ist, spiegelnd festzuhalten.
Nur was sich flammenhaft vom Fleische trennt

In schmerzlichem und betendem Gestalten,
Vermag als unser Bildnis fortzuwalten:
Was leuchten soll, muß dulden, daß es brennt!

LETZTE ERKENNTNIS

Willst du gleich die Früchte greifen?
Hast doch eben erst gesät!
Laß sie werden, laß sie reifen:
Früh ist Arbeit, Ernte spät.

Läßt kein Wachstum sich beschleunen,
Ihr Gesetz hat jede Saat,
Rüste Werkzeug, baue Scheunen
Für die Fechsung, für die Mahd!

Heimsen andre Pflüger eher,
Voll Geheimnis ist die Welt;
Sei kein Neider, sei kein Späher
Nach des Nachbars Ackerfeld!

Glaubst du vor dem Schnitt zu sterben,
Sei nicht bange um die Frucht!
Kein Ertrag bleibt ohne Erben,
Keine Tat bleibt ungebucht.

Wer im Werk den Lohn gefunden,
Ist vor Leid und Neid gefeit,
Denn er hat sich überwunden
Und kann warten und hat Zeit.

WIEDER IST EIN TAG ZU ENDE

Wieder ist ein Tag zu Ende,
Immer noch die alten Wände
Dauern rings umher.
Doch die Nacht hat viel verborgen,
Und vielleicht schon morgen, morgen
Steht die Welt nicht mehr.

Altes hin, noch nicht das Neue,
Falsch von gestern heute Treue,
Gut ward schlecht, und schlecht ward gut.
Und das Herz kann sich nicht halten
An dem hingesunknen Alten,
Und zum Neuen fehlt der Mut.

Nicht der Mut, es auszudenken,
Nicht der Mut, sich ihm zu schenken,
Nur des Glaubens Mut.
Denn soviel sie tun und treiben,
Mensch scheint eben Mensch zu bleiben,
Und das ist: nicht gut.

Fertige die eigne Achse,
Um dich selber schwingend, wachse,
Herz, aus deinem Raum!
Willst du, daß es besser würde,
Trag auch einmal fremde Bürde,
Andres kannst du kaum.

Ach, mit noch so vielen Rechten
Macht man Freie nicht aus Knechten
Und nicht Glück aus Leid.
Wer die Menschheit will beglücken,
Muß sich Mensch zum Menschen bücken,
Sonst ist alles Eitelkeit.

Also ist der Tag zu Ende.
Falte deine alten Hände
Wieder einmal zum Gebet.
Rein sind sie dir mitgegeben,
Rein bewahre sie durchs Leben —
Und geh schlafen; es ist spät.

Epik

MEIN LEBEN (1910)

Der Tod könnte eintreten,
ohne anzuklopfen.
Beethovens Testament

I.

Wenn ich daran gehe, mein Leben aufzuzeichnen, so tue ich es aus Dankbarkeit gegen die Natur, die mich mit reichen Gaben ausgestattet hat. Sei es nun, daß sie mir nicht auch die Kraft gab, diese Gaben zu verwalten, sei es, daß widrige Schicksale mich in der Entfaltung hemmten — eines ist gewiß, daß ich niemals geworden bin, was meine Anlagen versprachen. Wie aber alles mit mir kam, will ich aufschreiben, und das Leben, das ich erhalten, will ich den Menschen zur Kenntnis bringen, damit es nicht umsonst gelebt sei, sondern eine schaffende Kraft werde, die das Denken anderer beeinflußt und der Natur bei der Formung künftiger Individuen behilflich sei.

So nehme ich denn alle Kraft und allen Mut zusammen, um ehrlich an mein Werk zu gehen. Denn wahrlich, es gehört viel Kraft und Mut dazu, in die Dunkelheiten des eigenen Lebens hineinzuleuchten. Es wird manche Schuld, bisher anderen Menschen und äußeren Umständen zugeschoben, im Laufe der Betrachtungen dem eigenen Charakter zur Last fallen. Und vielleicht denke ich am Ende dieser Aufschreibung gänzlich anders über mich als jetzt am Anfange. Auch dies muß gewagt werden und kann vielleicht zu einem Bankerotte führen. Freilich nur dann, wenn er jetzt schon latent vorhanden ist. Dies kann ich heute nicht wissen. Denn wenn ich mir auch stets die wahrheitsgetreueste Selbstkritik auferlegt habe, und bei jeder meiner Handlungen mich geprüft habe, welchen inneren Beweggründen sie entsprangen, so ist man oft im Drange einer Leidenschaft oder Erregung außerstande, aus der richtigen Kritik die richtigen handelnden Konsequenzen zu ziehen, so wird man allmählich von einer Erkenntnis abgedrängt, unsere Handlungen schicken sich an, ein Leben auf eigene Faust, unbekümmert um unser Urteil, zu führen. Wir können sie nicht mehr beeinflussen und blicken ihnen nach, so wie ein Herr seinem Diener nachblickt, dem er einen Auftrag gegeben und von dem er sieht, daß er seine eigenen Wege geht und des Befehles vergessen hat. Der Herr möchte ihn zurückrufen und beschuldigt sich selbst in der Verzweiflung, den Auftrag nicht richtig und deutlich gegeben zu haben. Jener aber ist außer Hörweite und der Auftraggeber von den Ereignissen so verwirrt, daß er nicht die Kraft hat, jenen einzuholen. So kann es geschehen, daß der Diener hingeht und eine Untat begeht. Und wenn man ihn verhört, wird er möglicherweise sagen, der Herr habe sie ihm anbefohlen. Und dieser wird keine Beweise dagegen haben. So — glaube ich — kann es uns mit unseren Handlungen ergehen, wenn wir es auch nur einmal versäumt haben, ihnen von unserer Erkenntnis klaren Auftrag geben zu lassen. Wie oft habe ich dieses erlebt. Und vielleicht — indem ich dies bekenne — habe ich schon den Finger auf die Wunde gelegt, aus der mein Leben allmählich verblutet.

Ich habe vor Zeiten daran gedacht, aus meinem Leben einen Roman zu machen, wie dies schon viele vor mir getan haben. Es ist aber viel Lüge in solchen Büchern, und sie dienen meistens nur dazu, die klare Anschauung vom Leben zu verwirren. Der Roman gehört der Kunst an; aber die Kunst hat eigene Gesetze, die mit denen des Lebens längst nicht mehr übereinstimmen. Wenn sich der menschliche Geist eines Gegenstandes bemächtigt, so ist er leicht geneigt, ihn nach Gut und Böse in sein Inventar aufzunehmen und darnach seine Beschreibung des Gegenstandes zu geben. So kommt es, daß auch in jenen Büchern, welche das Leben des Autors zum Gegenstand haben, viel von Gut und Böse die Rede ist und demnach auch von einem Dritten, in bezug auf welches eben jenes Gut und Böse gilt. Dieses Dritte heißen sie verschieden: Zweck, Ideal, Gott. Es gibt aber jenes Dritte unter diesen Namen nicht, ebensowenig als es dergleichen für die übrige Natur gibt, von der wir nur durch ein höheres Bewußtsein unterschieden sind. Auch für uns gilt nur das Gesetz der Ursachen und Wirkungen, freilich mit der Zugabe, daß wir darum wissen, während wir davon überzeugt sind, daß die übrige Kreatur über dieses Wissen nicht verfüge. Aber dieses ist auch der einzige Unterschied zwischen uns und jener. Und auch diesen kennen wir nicht genau.

Indem also viele ihr Leben in bezug auf jenes Dritte aufschrieben, haben sie Wahrheit und Wirklichkeit verfälscht und sich verdorben und zum wirklichen Leben untauglich gemacht. Ich aber will, daß man durch diese Aufzeichnungen tauglicher werde zum Leben. Darum lasse ich Gut und Böse und jenes Dritte beiseite und spreche nur von Geschehenem, ohne ihm eine Richtung zu geben, die nur in meinen Wünschen oder in einer vorausgesetzten Moralität alles Geschehenden liegt. Außer, ihr wollt unter Moralität jene Gesetzlichkeit verstehen, welche als das Wechselspiel von Ursachen und Wirkungen in uns lebendig ist. Da kann es freilich unserer inneren Wirklichkeit ungemäß sein, wenn wir Wirkungen wollen, deren Ursachen wir nicht in uns tragen, aber vorgeben, oder wenn wir Ursachen ableugnen, deren Wirkungen klar zutage liegen. Denn beides sind Lügen, und die Lüge ist die einzige Sünde, schwerer denn Mord. Indem nämlich einer seine Hand bewaffnet und den anderen umbringt, hat er nur eine Wirklichkeit in die andere umgewandelt, einen wirklichen Menschen in einen wirklichen Leichnam. Er ist dafür nur den anderen verantwortlich, welche den Mord wegen der Gesellschaft nicht dulden. Vor sich selber und manchem Weisen mag er ein Heiliger sein. Wer aber lügt, der hat ein Etwas erzeugt, das es nicht gibt, vielleicht auch ein Wirkliches in ein Nichtwirkliches verwandelt bei dem, der im guten Glauben ist. Und daraus kann Jammer kommen ohne Ende.

Ich aber habe viel gelogen in meinem Leben.

II.

Am Ostersonntag des Jahres 1881 wurde ich zu Wien unter den Weißgärbern geboren. Mein Vater sowohl als auch die anderen männlichen Vorfahren bis zum Urgroßvater meines Vaters hinauf waren Beamte, teils bei den staatlichen Zentralstellen, teils im Dienste der Residenzstadt. Ein früherer Anherr betrieb jedoch einen Bierschank auf dem heutigen Hohen Markt. Er war noch Wiener Bürger und besaß das Haus, in dem er sein Gewerbe hatte. Später mußte — zu Ende des 18. Jahrhunderts — anläßlich einer strittigen Erbteilung das Haus verkauft werden. Da der Teilenden mehrere waren, entfiel nur ein Geringes auf die einzelnen. Und auch dies verlor sich im Wechsel der Generationen, so daß mein Vater nur von dem Gehalte eines kleinen Ministerialbeamten lebte, als ich zur Welt kam. Da meine Mutter gleichfalls eine blutarme Person war und meinem Vater nichts anderes in die Ehe mitgebracht hatte als eine verwitwete Schwester und deren Kind, die mein Vater aus gutem Herzen gleichfalls erhielt, so dürfte die Not damals ziemlich groß gewesen sein und jene Zeit, in welcher mein Vater bei strenger geistiger Arbeit den Tag über hungerte und nur des Abends ein wenig warme Suppe und meistens kalte Wurst zu sich nahm, viel zu dem raschen Verfall seiner Kräfte in späteren Jahren beigetragen haben, so daß er als ein Mann in den Vierzigern elend dahinzusiechen begann. Freilich mag damals, als die Katastrophe seiner Verwirrung eintrat, auch eine Liebe mitgespielt haben, die dem Frühgealterten von der Herzenseinfalt eines Jünglings begegnete und vielleicht die erste große und erschütternde seines Lebens war.

Denn ob er auch meine leibliche Mutter sehr geliebt haben mochte, so viel ich aus Erzählungen anderer von ihr weiß, scheint sie eine mehr derbe Person gewesen zu sein, nicht so sehr was ihr Herz als ihre Lebensart betrifft. Sie war als junges blühendes Landmädchen aus ihrer mährischen Heimat nach Wien gekommen und hatte sich bei meinem damals schon verwitweten und greisen Großvater als Wirtschafterin verdingt. Mein Vater, der ein zärtlicher und ehrfurchtsvoller Sohn war, lebte damals mit dem alten Herrn in gemeinsamer Wirtschaft. Später, als dieser zu kränkeln anfing, pflegte ihn meine Mutter mit viel Aufopferung bis zu seinem Tode. Mein Vater hat mir ihr damaliges, beispielloses Betragen immer als einen Hauptgrund dafür angegeben, weshalb er meine Mutter heiratete. Mochte übrigens auch viel mitgespielt haben, daß er sich nach dem Tode seines Vaters sehr einsam fühlte und daß ihm das Nächstliegende lieber war als das, was er erst hätte suchen müssen. Darüber will ich nicht urteilen.

Als ich vier Jahre alt war, starb meine Mutter an der galoppierenden Schwindsucht. Ich erinnere mich jedoch noch genau der Zeit, da sie noch gesund war, als auch an ihr Kranksein bis zu dem Zeitpunkte, wo man mich von ihr, der Ansteckungsgefahr wegen, wegnahm.

Meine Eltern hatten damals eine kleine Wohnung in der Radetzkystraße inne. Ich könnte die Einrichtung und Einteilung der Räumlichkeiten zeichnen, obwohl ich sie seit meinem vierten Lebensjahre nicht mehr gesehen habe. Ein Zimmer und ein Kabinett gingen auf die Straße, ein großes Zimmer mit einem breiten, lichten Doppelfenster hatte die Aussicht in ein Gartengeviert, das durch das Aneinandergrenzen mehrerer Hofgärten gebildet war. Dieses Zimmer war mein Lieblingsaufenthalt.

Damals war auch meine seligste Kinderzeit. Das spüre ich noch aus dem süßen Dämmer heraus, der über allem von damals in mir liegt. Im Grunde war ich freilich auch damals schon allein, aber nichts gab es in jener Einsamkeit, was gegen mich war. Ich hatte meine Bausteine, mit denen ich ganze Tage lang, auf dem Fußboden herumrutschend, baute. Durchs Fenster sah ich geradeaus in den Himmel, den ich nur in lichter, sonniger Erinnerung habe. Stieg ich manchmal, was mir allerdings verboten war, auf das Fensterbrett, so sah ich auch die Wipfel vieler Bäume und ferne schimmernde Dächer. Auch gab es Musik in Fülle. Werkelmänner und Musikanten wechselten im Hofe ab, und es war einer meiner Hauptspäße, wenn ich ihnen in Papier gewickelte Kreuzer hinunterwerfen durfte, wobei mich die Mutter freilich fest am Zipfel hielt und dem schwachen Schwunge meines Wurfes mit einem kräftigen Ruck nachhalf, damit die Münzen nicht am Fenstersimse liegen blieben. Und dann, welch eine Welt waren die vielen Mandlbögen, die ich mit Wasserfarben nach Vorlagen kolorieren durfte und die dann von meinem Vater auf Pappendeckel aufgeklebt und ausgeschnitten wurden, wenn sie nicht ganz und gar verklext waren. Da gab es Soldaten, ganze Bataillone, marschierende und solche, die kerzengerade dastanden, das Gewehr nach der alten Weise präsentierend. Dann waren wieder Bögen mit Räubern, Wäldern und Ungeheuern. Alles dies machte mir mein Vater, daß ich es aufstellen konnte. Und so war ich, auf dem Boden sitzend, immer umgeben von solchen bunten Völkern, denen ich wunderliche Städte und Festungen baute — oft bis tief in die Dämmerung. Da wachte dann ein anderes, viel unbestimmteres Leben um mich auf, das mich ängstigte, jedoch ohne mich zu schrecken. Aber nur solange, als ich mich an die Dunkelheit nicht gewöhnt hatte. In solchen Stunden verfiel ich darauf, mir Schuhe und Strümpfe auszuziehen und lange Zwiegespräche mit meinen Füßen zu halten. Es war recht wunderlich, was ich trieb. Ich gab meinen Füßen Namen, wie ich sie aus den Märchen wußte, die mir mein Vater erzählte. Sie mußten miteinander zärtlich sein und sich bekämpfen. Schließlich verliebte ich mich buchstäblich in meine Füße und küßte sie, sobald ich nur allein war und sie ohne Furcht vor Entdeckung entblößen konnte. Denn das war mir natürlich aus Besorgnis vor Erkältung verboten worden. Ich glaube demnach, daß ich die ersten angedeuteten Beziehungen erotischer Natur zu meinen eigenen Füßen gehabt habe. Auch später haben meine Füße, und Füße überhaupt, eine Rolle in meinem Seelenleben gespielt, wovon ich an seinem Orte erzählen werde.

Auch eine andere Vorliebe, die für mein Leben wichtig werden sollte, habe ich in jener Zeit gefaßt. Die Wohnung meiner Eltern war nicht weit von jenem Stadtteile entfernt, wo sich damals noch die Franz-Josefs-Kaserne mit ihrem großen Exerzierplatz befand. Da führte mich nun die Mutter tagtäglich vormittags hin, und ich durfte den Übungen der Soldaten nach Herzenslust zusehen. Von dem Anblicke der mächtigen Kaserne und ihrer roten Mauern, Zinnen und Türme, von der Betrachtung der Soldaten nahm ich viel in die Phantasien meiner einsamen Stunden und in spätere Zeiten hinüber, was zu vielerlei Konflikten mit meinem Vater führte, der aus mir einen Juristen und keinen Soldaten machen wollte.

Inzwischen fand dieses Vergnügen bald ein Ende, denn meine Mutter erkrankte im Frühjahr des Jahres 1885, und niemand führte mich mehr zu der Kaserne. Nun verlegte sich auch der Schauplatz meiner Spiele aus dem Hofzimmer in das vordere Kabinett, wo meine Mutter lag und mich anfangs, als man die

Natur der Krankheit noch nicht kannte, immer bei sich haben wollte. Ich erinnere mich nun, daß ich ihr nicht gerade gerne Gesellschaft geleistet habe und daß sie mich nur dadurch länger an sich zu fesseln vermochte, daß sie mir von dem Chaudeau, den sie mehrmals im Tage zu sich nahm, ein Weingläschen voll zukommen ließ. Um diesen Preis blieb ich.

Der Zeitpunkt, wann ich von meiner Mutter weggenommen wurde, ist mir nicht mehr im Gedächtnis, wohl aber jener Nachmittag, an dem ich von ihr Abschied nahm. Ich war da eben in meinen Spielen auf dem Fußboden des Hofzimmers begriffen, als mein Vater auf mich zukam, mich bei der Hand nahm und in das Kabinett meiner Mutter führte. Es waren da die grünen Jalousien heruntergelassen, so daß der ganze schmale Raum in einem feierlichen Dämmer lag. Mein Vater führte mich nun zu dem Bett meiner Mutter und sagte zu mir: „Küß der Mutter die Hand“. Da reichte sie mir ihre weiße, abgezehrte Hand hin, und ich küßte sie. Dann aber drehte sie sich so rasch, als es gehen mochte, von mir weg der Wand zu. Ich habe das Antlitz meiner Mutter von damals gar nicht in Erinnerung, unvergeßlich aber ist mir jene rasche Bewegung des Wegdrehens geblieben und der Anblick ihres schmalen Rückens in dem verknitterten Hemd und ihrer Haare, die in verwirrten Strähnen auf dem weißen Kissen lagen.

An diesem Tage starb meine Mutter. Ich habe sie kaum gekannt. Es hat mir auch niemand mehr von ihr Näheres erzählt. Ich weiß daher nicht, was ich ihr außer meinem Leben zu verdanken habe. Vielleicht hätte sie mich nicht allein lassen sollen und manches wäre besser geworden mit mir. Vielleicht auch nicht. So bin ich freilich einer geworden, der nirgends daheim ist und dem lange nichts heilig war in einer Zeit, da wir der Zuflucht und des Heilighaltens bedürfen. So mußte ich mir freilich alles erst erkämpfen, was sonst den Kindern als Erbtum ihrer

Vorfahren mühelos und unversehens übermittelt wird, und dieser Kampf hat vielleicht mehr Kräfte gebraucht, als dies meiner Entwicklung gut tat. Mag es sein. Bleibt mir doch so auch der Trost, daß sich in mir alles so entwickeln durfte, wie es mochte. — Denn später, als ich aufschoß, war kein Gärtner da, der meine Triebe beschnitt. Und so wucherten sie, wie es Gott wollte.

DIE ALTE JOSEFSTADT

Die Josefstadt meiner Kindheit war nicht mehr jener vormärzliche Vorort, der den Basteien der Inneren Stadt, etwa vom Schottentor bis zum Burgtor, gegenüberlag. Mit den Befestigungen waren auch jene weithingedehnten Wiesenflächen verschwunden, die man in dieser Gegend das Josefstädter Glacis nannte. Als ich, ein kaum Fünfjähriger, mit dem Vater von der Vorstadt Unter den Weißgärbern in die Josefstadt übersiedelte, umgab bereits der breite, prächtige Gürtel der Ringstraße die Innere Stadt, die Monumentalbauten zwischen Alsergrund und Bellaria standen längst vollendet, und die herrlichen Gärten des Viertels um das neue Rathaus herum waren schon angelegt. Dem Kinde bot sich all die junge Pracht als das Gegebene dar, für die Eltern und Großeltern jedoch war jedes Plätzchen des verwandelten Bodens voll der Beziehung auf das noch eben Gewesene, belebt von Erinnerungen und — bei allem Stolz auf den großstädtischen Aufschwung! — umwoben von der uneingestandenen Sehnsucht nach dem Vergangenen. Ihnen war ja noch auf dem Platz des heutigen Volksgartens die biedermeierische Fröhlichkeit und Eleganz des Paradeisgartls Wirklichkeit gewesen; Allerältesten wollte sogar noch Beethoven, von seiner letzten Wohnung im Schwarzspanierhause über das Glacis der Stadt zuschreitend, begegnet sein; Grillparzer, Raimund und Nestroy, die Protagonisten des alten Burgtheaters, Bauernfeld und Schwind, sie bevölkerten noch die Erlebniswelt der Minderalten, wurden dem Zuhörenden in unzähligen Anekdoten an bestimmten Straßenkrümmungen, an gewissen Fenstern graugewordener Zinshäuser und an den Stammtischen altväterischer Gasthäuser förmlich wieder leibhaftig und erfüllten die ehrfurchtswillige Phantasie des Kindes mit dem verklärten Abglanz jener gemütlichen Heroenzeit Alt-Wiener Kultur, die uns heute wie ein idyllisches Märchen anmutet, obwohl auch sie bekümmert war durch weltumwälzende Kriege und verheerende Seuchen, durch Not und Unzufriedenheit der Völker und durch das verhängnisvolle Ränkespiel der Mächtigen.

War nun auch die Josefstadt, in der ich Kind war, nicht mehr jene, von der aus man, grünes Gelände überblickend, die Festungswälle, das vielgiebelige Dachgedränge und in scheinbar engstem Nebeneinander die Türme der Innern Stadt frei vor sich aufragen sah, so war sie doch ein Stück vorgroßstädtischer Zeit voll altmodischer Traulichkeit, voll der Beredtheit von Versunkenem und belebt von solcher Stimmung, als hätte die neue Zeit, als sie auch durch ihre abseitigen Gassen und Gäßchen schritt, es lächelnd auf ein nächstes Mal verschoben, hier gründlich Wandel zu schaffen. Und wenn heute der Mann nach soundsovielen Jahren die alten Gassen aufsucht, durch die er zur Schule gegangen, wenn er zu den Fenstern emporschaut, hinter deren Scheiben sich so viel eigenes Schicksal vollzogen hat, so will es ihm ein Glück scheinen, sagen zu dürfen, daß sich in jenen Gassen nur wenig, aber an den Wohnhäusern seiner Kindheit und Jugend fast gar nichts geändert hat. Und nahezu derselbe ist seit damals der Straßenzug geblieben, der sich von den Gründen der ehemaligen Alserkaserne bis zum Getreidemarkt erstreckt. Mag er heute auch in seinen einzelnen Abschnitten anders benannt sein als damals, die schmalen, dunkelumgitterten Vorgärten sind noch immer den grauen, durch weiße Fensterrahmen so freundlich belebten Fassaden der alten Bürger- und Adelshäuser vornehm-gemütlich vorgelagert, immer noch hält der ernste Bau des früheren Militärgeographischen Instituts sein Wahrzeichen, den goldenen Globus, empor, und das Landesgericht in Strafsachen, das sogenannte „Graue Haus“, steht heute wie einst mit seinen düsteren, langhinlastenden Festungsmauern wie eine Zwingburg der Gerechtigkeit an der Einmündung der Alserstraße. Nur die Platanen in seinem Vorgarten sind seither zu Riesenbäumen herangewachsen, deren Wipfel zu den Dachzinnen des gewaltigen Gebäudes emporreichen. Dieser Straßenzug nun, den heute die elektrische Straßenbahn durchsaust, hieß in meiner Kindheit kurzweg und sehr bezeichnend: die Lastenstraße. An ihr habe ich meine Jugend verbracht, und sie war es, die mir die Josefstadt so recht und eigentlich zur Heimat gemacht hat.

Wenn wir Heimat sagen, so sehen wir im Geiste und fühlen wir im Herzen — ob wir auch seit Geschlechtern der Großstadt angehören — doch immer noch Land und Erde: ein Dorf um alte Linden herum im Tal, ein einsames Gehöft auf sonnseitiger Lehne im Gebirge, die Kleinstadt am schmalen, holzüberbrückten Flusse, einen spitzen Kirchturm, am Rande der Ebene wahrzeichenhaft emporragend, zarte Hügelbläue am Horizont und, zwischen Ferne und Ferne, die Landstraße! Von der Großstadt als Heimat redet eigentlich nur der amtliche Sprachgebrauch. Ist dies deshalb so, weil es mit dem Großstädtertum der meisten Großstadtmenschen nicht allzuweit, nicht allzulange her ist? Oder ist jene Sprache, die Land denkt, wenn sie Heimat sagt, die Sehnsuchtssprache des Blutes, das wir von bäuerlichen oder kleinbürgerlichen Vorfahren in uns haben? Es mag schon etwas zutiefst Richtiges daran sein, daß man bei Großstadt nicht an Heimat denkt. Hausen wir denn in ihr noch auf der alten, lieben wohlgegründeten Erde? Sind wir in ihren Zinskasernen nicht neben-, unter- und übereinandergepfercht, und von der Erde weggeschachtelt wie in Käfigen? Ist uns der Himmel, sind uns Aufgang und Untergang nicht verbaut? Und was in der Großstadt unsere Füße treten, hat es noch etwas gemeinsam mit dem Stoffe, der Keime treibt und Quellen birgt? Sind es nicht sohlenschmerzende Panzerungen aus Granit oder Asphalt? Und dennoch kann auch die Großstadt Heimat sein, wenn auch freilich mit der unterbewußten Beziehung auf Umgebung, auf Land und Erde. Und eben diese Beziehung war es, welche die Lastenstraße damals noch herstellte. Denn sie war in der Zeit, als Wien nur erst zehn Bezirke hatte, doch noch eine Art Peripherie um den historischen Kern der Stadt herum und als solche voll des buntesten, weitschichtigsten und unstädtischesten Lebens, voll Romantik, Idylle und Fernzügigkeit. Mit einem Wort, die Lastenstraße meiner Kindheit war noch — eine Landstraße.

Landstraße — und dennoch Lastenstraße! Eine Zeile schütternden, klirrenden, ratternden Pflasters und wolkentreibenden Staubes im Sommer, eine Zeile gedämpften Dröhnens und zu Kot zerfahrenen Schnees im Winter! Da stampfen und dampfen die schweren Pferde, die in messingfunkelnden Kummeten Lasten von Ziegeln, Bauholz und Eisen ziehen. Mit schwarzen Ohrenklappen kauern die Fuhrwerker hart an den Kruppen ihrer Tiere. Die durchfrorenen Körper begehren nach Erwärmung. Die Straße wimmelt von sogenannten Budiken. „Likör, Rum, Spirituosen" lockt über exotisch bemalten Schildern die Aufschrift an allen Ecken und Enden. Zerlumpte Kotzen den Pferden über den Rücken geworfen, den hölzernen Hafertrog ihren schnaubenden Nüstern vorgehängt! Da stehen sie da am Rande der Straße, unbeaufsichtigt oft stundenlang. Drinnen aber, im Tabak- und Fuseldunst beleben sich erstarrte Glieder, und wenn es lange dauert, verglast der Blick des Durstigen. Leichteres Fuhrwerk hält vor uralten Einkehrgasthäusern. „Zum alten Paradeisgartl", „Zum Fürsten Auersperg" heißen sie heute noch. Der Zwiebelgeruch ihrer billigen Speisen, ein modriges Mischarom von Bier- und Weinschank dringt aus ihren Lokalen auf die Straße heraus.

Aber nur vereinzelte Tropfen gibt der ewigfließende Strom des Verkehrs an die Herbergen ab. Er selbst, mit Hüh und Hott, mit Flüchen und Peitschenknallen, fließt weiter. Da schwanken Heuwagen heran, mächtig geladen, und mengen in den Brodem von Staub, Pfeifenrauch und Pferdemist für Augenblicke den zarten, welken Duft frischgemähter Wiesen. Rinder, in Herden getrieben, kommen brüllend, zwei und zwei jochverbunden, von zottigen Fleischerhunden umsprungen und umbellt, auf dem Wege zum Schlachthaus. Vornehmer geben's die Schweine: in geräumigen Stallwagen fahren sie, Rücken an Rücken gepfercht. Das Getöse der Straße übertönt ihr vielstimmiges Quieken und Grunzen. Und dem Lebendigen begegnet, vom Metzger zurückgefahren, das Tote: Kälber, auf Streifwagen querüber geschichtet. Auf der einen Seite, Ohr an Ohr, die schlaffhängenden, aus glasigen Augen starrenden Köpfe; über den anderen Wagenrand herunter, Paar an Paar, die gefesselten Hinterbeine. Schmeißfliegen wechseln von den schaukelnden Rücken eiliger Pferde auf die blutrünstigen Tierleiber. Vorbei! Und immer wieder neues Her und Hin, unermüdlich, ununterbrochen, unerschöpflich.

Wie der Schiffer nach dem Stande der Sterne des Nachts, wie der Landmann nach Richtung und Länge der Schatten am Tage die Stunde bestimmt, so gab es auch hier auf dieser Land-, auf dieser Lastenstraße in der flutenden Flucht zufällig wechselnden Vorübers das Fixsternhafte, das unbeirrbar zur selben Stunde wie Ebbe und Flut Wiederkehrende. Alltäglich um Schlag zwölf Uhr mittags stieg auf dem Dache des Geographischen Instituts am eisernen Maste die goldene Kugel empor, verharrte einige Sekunden in ihrem Zenith und sank wieder: das Mittagszeichen. Zur selben Minute wurde vor dem Haupttor des Landesgerichtes die Justizwache mit militärischem Zeremoniell abgelöst, und ein Hofwagen mit Offizieren der ungarischen Leibgarde fuhr aus dem Palais nächst dem Weghuberpark zum Dienste in die Hofburg. Eine Abteilung Burggendarmerie überquerte täglich zur selben Stunde die Lastenstraße in der Gegend der kaiserlichen Stallungen, ein Zug hellebardenbewehrter Arcierengarde in roten, goldverschnürten Waffenröcken und mit weißen Roßschweifen auf den Silberhelmen begegnete ihr täglich an derselben Stelle. Dazu kam noch mit fast ebensolcher Regelmäßigkeit alles andere Militär. Regimenterweise, mit klingendem Spiele, marschierte es von den Übungen auf den Praterwiesen zur Alserkaserne: Infanterie, österreichische und ungarische, Landwehr, Kaiserjäger und, mit phantastischen Meßgeräten, Genietruppen und Pioniere. Und nicht nur die lebendigen Soldaten nahmen ihren Weg über die Landstraße, sondern auch die toten. Bei der damaligen Größe der Wiener Garnison gab es nicht allzuviele Tage im Jahre, an denen kein militärisches Begräbnis stattgefunden hätte, und die meisten dieser Trauerkondukte gingen von der Votivkirche oder von der evangelischen Garnisonskirche in der Schwarzspanierstraße aus und lösten sich vor dem Landesgericht auf. Dort nahm die Suite der Offiziere auf der Stadtseite der Lastenstraße Aufstellung, während Regimentsmusik und Ehrenkompanie auf der Josefstädter Seite Front machten. Und dann, während der Sargwagen langsam vorüberfuhr, erklangen in die atemlose Stille dieser Zeremonie Kommandorufe, Gewehrgriffe und der Donnerschlag der Generaldecharge. Da flatterten von allen Gesimsen und Dächern aufgeschreckte Schwärme von Tauben auf, leichter bläulicher Pulverrauch wölkte und verzog sich, die Fahne senkte sich, und aus dem knatternden Wirbel der Trommeln empor erhob sich als das stärkste Symbol jenes unvergeßlichen Vaterlandes der Kindheit in herrlich genauem Zusammenklang der Instrumente mächtig, feierlich und immer wieder erschütternd, die begnadete Melodie des „Gott erhalte".

Dieses nun, diese Zeile der Lebendigen und Toten, die aus Ebenen über dröhnende Strombrücken kam, um eine kurze Weile an Palästen und Gefängnissen vorüberzuziehen und sich dann wieder aus dem Gewirre der Häuser, aus Staub, Rauch und Ruß in grüne windatmende Fernen zu verlieren, dieser brausende Fasching des Lebens, der helmeblitzenden Macht, des Güterförderns und -umsatzes und zugleich dieser ewige Aschermittwoch des keuchenden, schwitzenden, fluchenden, frierenden Alltags, diese Heerstraße, Landstraße und dennoch Großstadtstraße war in meiner Jugend die Lastenstraße, und von ihr aus führten damals und führen unverändert auch heute noch sieben schmale Gasseneingänge zwischen Vorgärten hindurch in den eigentlichen Bereich meiner Heimat, in die Josefstadt.

Da ist zum Beispiel die Schmidgasse, die am geographischen Institut vorüber die Lenaugasse überquert, dann über die Langegasse zur Maria-Treu-Gasse hinaufführt und durch diese in den ehrwürdig geräumigen Platz vor der Piaristenkirche mündet. Da ragt, von zwei Barocktürmen überhöht, die breite Front des Gotteshauses mit der in der Frühsonne leuchtenden Inschrift: VIRGO FIDELIS AVE COELESTIS MATER AMORIS. Da stehen in düsterem und dennoch so anheimelndem Grau zur linken Hand die Volksschule, zur rechten das Gymnasium. Piaristenplatz, Ziel des täglichen Schulweges durch zwölf Jahre eines Knabenlebens! An Wintermorgen, wenn die rötlich flackernden Gasflammen der spärlichen Laternen die zögernde Nacht nur mühsam durchdrangen, ging es da hinauf, an trüberleuchteten Vorstadtläden vorüber. Schattenhaft begegneten andere Fußgänger, und aus der finsteren Kirche wimmerte fröstelnd die Orgel ein undeutliches, monotones Segenlied zu dem dünnen Gesang einzelner Altweiberstimmen. Aber vom Februar an wurden die Morgen früher und die Tage lichter. Da spiegelte das Eis der Pfützen und Kotfurchen blaue, schmale Himmelsstreifen zwischen grauen Dachsimsen, und die goldenen Turmknäufe der Piaristenkirche glühten in orangeroter Sonne. Und zwölfmal kam auch der Frühling desselben Weges gegangen. Vom Rathausplatz herauf, aus den Vorgärten der Lastenstraße, wehten seine laubfrischen Gerüche, und Antwort gaben ihnen die Düfte der unsichtbaren Gärten, die damals von weiten Vierecken niederer Häuser umschlossen wurden. Aus dämmerigen Flurwölbungen drangen sie, über graue Schindeldächer und schwarzbraune Ziegelfirste kamen sie geflogen und waren am fühlbarsten bei Nacht. Nichts störte da die nahezu mittelalterliche Idylle der abseitigen Gassen und Gäßchen. Das Pflaster hallte unter den Schritten des einschichtigen Heimgängers, selten begegnete ein Einspänner, und nur aus kleinen Bierschänken klang auch noch nach Mitternacht hier und dort eine Zither, ein verstimmtes Klavier oder eine Ziehharmonika und Geige.

Freilich, die Josefstadt von damals hatte auch noch andere, ansehnlichere Gaststätten, und fast sie alle verfügten über größere oder kleinere Gärten, über ein paar Kastanien oder Linden, unter deren Zweigen schwere, runde Holztische, mit weißen oder roten Tüchern bebreitet, aufgestellt waren. Da saß behäbig bei Gaslaternen die bürgerliche Wohlanständigkeit an Stammtischen, hier träumte dem blauen Rauch der billigen Zigarre nach der Einsame, hier lächelte im Dämmer eines abseitigen Gartenwinkels die Schüchternheit junger Liebe. Aber das vornehmste Restaurant der alten Vorstadt war der Riedhof in der Schlösselgasse. Da fuhren nach dem Theater Equipagen und Fiaker vor, schöne, stolze Frauen in Abendmänteln entstiegen den Coupés, Brillanten blitzten aus dem Goldschatten hoher Frisuren, und den federnden Schritt schlanker Kavaliersgestalten begleitete die leise silberne Musik der Sporen. Hinter gerafften Rohseidengardinen der ebenerdigen Chambres séparées perlte dann der Champagner, und „süßes Mädel" und große Dame erlagen in demselben rottapezierten, verschwiegenen Gevierte der Bezauberung eines für die damaligen Begriffe sündhaft umwitterten Lebens.

Der Riedhof war ein mondänes Wahrzeichen der Josefstadt und hat als solches Eingang gefunden in die Wiener Literatur der Neunzigerjahre des vorigen Jahrhunderts. Seine Räumlichkeiten bestehen noch, aber der Betrieb, wie er damals war, hat aufgehört. Ganz hingegen vom Erdboden verschwunden ist ein anderes Wahrzeichen der Josefstadt: hoch oben in der Gürtelnähe die alte Reiterkaserne. Weithingezogene, einstöckige und düstere Gebäudetrakte umspannten einen Hof von ungeheuren Dimensionen. Wenn einmal zufällig eines der mächtig gewölbten Tore offen war, konnte der Vorübergehende in das Leben dieses streng abgeschlossenen Bezirkes Einblick nehmen. Da sah man Reitschule halten und Remonten zureiten, sah die Mannschaft fußexerzieren, turnen und säbelfechten, und manches, was man nicht sah, wovon aber jedesmal die ganze Stadt tagelang sprach, umgab das Gebäude mit Romantik und Grauen. Das waren vor allem die Pistolenduelle, die in allerfrühesten Morgenstunden auf dem gewaltigen Hofplatze ausgetragen wurden. Aber auch Freundliches, Friedliches, Anheimelndes ging von der düsteren Kaserne aus. An Sommerabenden, wenn die Petroleumhängelampen über den Familientischen brannten und die Turmspitzen der Piaristenkirche im versinkenden Flor des versinkenden Tages an die ersten, zartflimmernden Sternbilder rührten, da stieg aus der Mitte des dämmernden Riesenhofes der Mahnruf der Retraite, das hundertjährige Hornsignal auf, das des großen Joseph Haydn Bruder dereinst für die kaiserlich österreichische Armee komponiert hatte. Weithin über Dächer und Gärten klang jene einzigartige dreifache Tonfolge. Schnurrbärtige Wachtmeister traten da kontrollierend vor die Tore der Kaserne, und von allen Seiten fanden sich die Gerufenen ein. Schwergespornte Mannschaftsstiefel hallten über das Pflaster, noch gemächlich nach dem ersten Hornrufe, schon hastiger nach dem zweiten. In der Umgebung der Kaserne aber lösten sich jetzt allenthalben aus finsteren Straßenwinkeln und Tor-Nischen die Gestalten von Dienstmädchen mit weißen Schürzen und dunklen Umhängetüchern und sahen den Enteilenden nach, bis das letzte metallene Aufschlagen des Säbels auf das Pflaster verklungen war. Wer dann etwa eine Stunde später an den verdunkelten Fronten der Kaserne vorüberkam, ahnte nur mehr den Männerschlaf von Tausenden hinter ihren Mauern. Nur selten klang der melancholische Gesang rauher Stimmen in fremden Sprachlauten aus einem noch später erleuchteten Fenster. Um Mitternacht aber drang nur mehr scharf gärender Geruch von Pferdemist aus den schwervergitterten straßenseitigen Stallöffnungen und an Geräuschen bloß das dumpfe Stampfen unruhiger Hufe auf knistender Strohschütte, das Schnauben nervöser Nüstern und hie und da das Rasseln einer Halfterkette.

Das war die alte Josefstädter Reiterkaserne: durch viele Geschlechter Aufenthalt und Schicksal für Hunderttausende. Dragoner, Husaren, Ulanen! Deutsche, Böhmen, Magyaren und Polen! Immer wieder wechselten die Regimenter und mit ihnen die Völker und Sprachen. Aber gleich für alle war durch Jahrhunderte die eiserne Ordnung des Dienstes, der alte Soldateneid der Treue „in Krieg und Frieden, zu Wasser und zu Land“, und der melodische Befehl der ehrwürdigen Signale, bis über dem Verstummen von Millionen

Tapferer auch sie auf den Schlachtfeldern des Weltkrieges verstummten.

Josefstadt, Kindheit, Heimat! Mit Worten ist dieser Erlebnisdreiklang nicht nachzubilden. Und wär' er dies selbst, es ist zuviel des Geräusches in der Welt, als daß gerade er vernehmlich würde. Aber noch redet die alte Vorstadt ja selbst. Noch gibt es hier und dort in ihr altväterische Häuschen, deren Torflure mitten in das Märchen verträumter Gartenhöfe führen. Sandsteinfiguren stehen noch bemoost und verwittert unter uralten Bäumen. Windschief gewordene Gartenhäuser lehnen noch hie und da baufällig an den Feuermauern zudringlicher Zinskasernen, und es sind noch unkrautüberwucherte Wege genug, die, ehemals zierlich bekiest und an Taxushecken vorüber, durch verwachsene Lattentüren hinaus in die Freiheit der Wiesen und Felder führten. Die hofwärtigen Fronten mancher Häuser zeugen noch von dem italienischen Baugeschmack eines früheren Jahrhunderts. Säulentragende Arkaden, oft mehrere Stockwerke übereinander, schmücken sie, und die kinderreiche Armut, von der solche Häuser meist bewohnt sind, versetzt unwillkürlich in ferne, viel südlichere Gegenden. Urwienerisch aber ist der Werkelmann, der auch heute noch die Kinder um sich versammelt, und der Geiger, den ein Ziehharmonikaspieler zu alten Weisen und längst verjährten Gassenhauern begleitet. In meiner Kindheit freilich gab es noch den Italiener, der einen rotuniformierten Affen Gewehrgriffe machen und Feuer geben ließ, den Dudelsackpfeifer, der mit Armen und Beinen nebstbei noch einen ganzen Mechanismus von Trommeln, Tschinellen und Klappern betätigte, den Bosniaken, der Dolche, Zigarrenspitzen und Tschibukrohre verkaufte, und den sogenannten Rastelbinder, der alles schadhafte Geschirr an Ort und Stelle mit Draht und Blech zusammenflickte. Vom Krawaten, der Kochlöffel und Holzflöten feilbot, und vom Pinkeljuden, der sein „Handle"! zu den oberen Stockwerken emporschnarrte, ganz zu schweigen! Die liebste und traulichste Erscheinung unter den Straßenverkäufern und Hausierern der damaligen Zeit war aber doch die Lavendelfrau, die ihr Anbot himmelblauer, zartduftender Blüten nach einer uralten hochsommerschläfrigen Melodie in den Hof sang: „Kauft's an Lavendl! Drei Kreuzer das Büscherl Lavendl! An Lavendl kauft's!"

Fast alle diese merkwürdigen, trauten und oft so phantastischen Gestalten, die zur Stimmung des früheren Wien und somit auch der Alten Josefstadt gehörten, sind Vergangenheit geworden. Der Sturm der Weltgeschichte hat Gebirge und Ebenen, Ströme und Städte aus einem Reich ins andere vertragen und hat auch jene verweht und verwirbelt wie den bunten, raschelnden Abfall des Sommers. Der Herbst ist gekommen, und manches, was seine Fröste verbrannten, blühte noch und hatte sein Schicksal nicht vollendet. Auch den alten Häusern, die heute noch die Josefstadt beherbergt, droht über kurz oder lang die Spitzhacke, und auch ihre letzten Gärten werden verbaut werden. Dann wird es ein ganz neuer und fremder Stadtteil sein, durch dessen breitere Straßen ein neues Geschlecht wandeln, in dessen lichteren Heimstätten heute noch Ungeborene ihr neues und doch so uraltes Menschenschicksal erleben werden. Ihnen wird unsere Gegenwart Vergangenheit, unsere Vergangenheit aber fast schon Legende sein. Dann bleibt vielleicht noch eine kleine Weile ein schlichtes Buch, das den Versuch wagt, jene Legende festzuhalten, bis am Ende auch dieses eingeht in die große Stampfmühle der Vergessenheit.

VON SCHÖPFERISCHER EINGEBUNG UND KÜNSTLERISCHER ARBEIT

Rede, gehalten in der Akademie der Wissenschaften zu Wien, anläßlich des Tages des Buches am 21. März 1929

Wer jemals an sich die feurige Stunde erlebt hat, aus der die Umrisse eines neuen dichterischen Gebildes plötzlich da sind wie die gewaffnete Pallas Athene aus dem Haupte des Zeus, dessen Gefühl ist Demut gegenüber dem Unbegreiflichen, das sich gerade ihn zu seinem Werkzeuge ausersehen hat. Man bedenke: die Menschen fühlen, trachten und reden aneinander vorüber, hören einander nur mit halbem Ohre zu, und die meisten wissen kaum, was in jenen vorgeht, mit denen sie oft ein Leben lang e i n e n Raum, e i n Bette und die nämlichen Sorgen geteilt haben. Geschweige denn, daß sie um jene wüßten, die ihrer unmittelbaren Wahrnehmung entrückt sind. Aber e i n e r ist unter ihnen, der hört hinter ihre Worte, der sieht hinter ihre Mienen, der deutet ihr Verstummen im Gespräch und ihre flüchtigsten Blicke, und aus einem verkümmerten oder vergifteten Lächeln um die Lippen eines Weibes oder aus der verschütteten Stimme eines Mannes steht vor ihm eine Tragödie auf, gültig nicht nur für diese beiden einzelnen, sondern für viele, ja für alle Menschen.

Und ein anderes: ganze Geschlechter erleben eine und dieselbe Zeit. Zeichen und Wunder geschehen vor aller Augen, doch all diese Millionen sehen die Zeichen und Wunder nicht. Und w e n n sie sähen, so ahnten sie nicht, von wannen sie kommen und wohin sie weisen. Aber e i n e r ist unter ihnen, dem all dies zur Vision und Klarheit ungeheurer Zusammenhänge wird. Von Zusammenhängen, die er festhalten muß mit Mitteln einer Kunst, die ihm auf ebenso unbegreifliche Weise geläufig sind wie die Fähigkeit zu hören, zu sehen, zu fühlen, wo andere taub, blind und stumm sind. Und ein Weltuntergang, eine Zeitwende, eine große Epoche der Geschichte steht ihm plötzlich da, sinnvoll geordnet zu Gesängen oder Kapiteln einer epischen Dichtung.

Und noch ein drittes: ungezählte Menschen aus allen Zeitaltern der Erde haben den Aufgang geschaut am Morgen und den Untergang am Abend, haben die Liebe erlebt, den Stolz des Gelingens, das Leid des Versagens und alle Süßigkeit und Bitternis der Sehnsucht. Viele von ihnen fühlten und fühlen das Unfaßbare, Geheimnisvolle, Ewige, das jenseits dieser Wirklichkeiten und Vergänglichkeiten webt. Ihre Zungen sind schwer von der Fülle dessen, was sie empfinden und nicht aussagen können. Aber e i n e r ist immer wieder unter ihnen, dem wie von weither und dennoch aus ureigensten Tiefen plötzlich Worte geschenkt sind, Worte, die sich ihm mühelos und gesetzmäßig, erstmalig und einmalig fügen zu neuen Rhythmen und Gleichklängen, zu einer Melodie von Worten, zu einem Gedicht!

D a ß dem so ist, d a ß dergleichen sich in einem Menschen ereignen kann, während es Abertausenden versagt bleibt, dies ist ebenso wunderbar wie die unversehrte Keimkraft in einem Saatkorn Pyramidenweizens, wie die Vererbung individueller Anlagen durch ein Protoplasma, wie das Dasein der Erde, wie der Wandel der Sterne. Dank und Antwort derer aber, die von solchem Wunder zum Werke erweckt worden, sei — Arbeit!

Was ist nun, wenn in solchem Zusammenhange von Arbeit gesprochen wird, mit diesem scheinbar so nüchternen und schulmeisterlichen Worte gemeint? Die Antwort, die auch wieder nur in Bildern und Gleichnissen gegeben werden kann, lautet: ein Erlebnis ist da, gleichviel ob das eines Weltunterganges oder das eines Tautropfens an einer Grasrispe, und ein großes Gewoge hebt an in der Seele des Erlebenden, ein Gewoge von Klängen und Gestalten, von Menschenantlitzen und Menschenworten. Und dann — in einer Stunde, die nicht errufen, aber vielleicht erwacht und erbetet werden kann! — befreit sich ein Strom aus der Umfestigung vieler Hemmungen und Unzulänglichkeiten, und Seite um Seite bedeckt sich mit rauschartig hingewühlten oder mühsam gebändigten Schriftzügen, wie Eimer aus ewigen Brunnen steigen, wie nach einem Diktat von außen, von oben. Dies ist die Eingebung. Ihr Ergebnis: der Entwurf oder gar die erste Niederschrift einer Dichtung. Allein, ist diese auch schon das Werk? Es gibt Schriftsteller, die sich dessen berühmen, aber — an ihren Früchten werdet ihr sie erkennen! Die Wahrheit — wenn es sich nicht etwa bloß um ein kurzes lyrisches Gedicht oder um die Lieblingsszene in einem Drama oder Roman handelt — ist vielmehr die, daß jener erste Strom viel Gerölle der Unfertigkeit, vielen Schlamm des völligen Mißlingens, viele entwurzelte Baumstämme der Nebensächlichkeit und manche verdächtige Gewässer der Zufälligkeit in sich aufgenommen und auf seinem stürmischen Laufe mit sich fortgerissen hat. Er mag dabei an manchen Stellen so klar sein, daß man die Kiesel auf seinem Grunde zählen könnte; er mag an andern von solch gemeisterter Ruhe sein, daß er das innerlich Geschaute fast vollendet widerspiegelt. Aber andere Strecken lang ist er dennoch trübe, oder er zerteilt sich in Seitenarme, tritt über die Ufer, droht zu versickern, und manchmal verschwindet er sogar für eine Zeit unter die Erde. Da ist es nun an jenem, aus dem der Strom sich entfesselt hat, ihn an dieser Stelle auszubaggern und an jener einzudämmen, ihm hier ein Stauwerk einzubauen und seinem Laufe dort das richtige Gefälle zu geben, vor allem aber dafür zu sorgen, daß er klar und frei dahin zurückmünde, von wannen er gekommen ist: in Gott!

Dies ist die künstlerische Arbeit. Ihr Ziel: das Wortgewordene des Werkes durch unerbittliche Selbstkritik, durch Kunstverstand und handwerkliches Können möglichst restlos jener Vision anzugleichen, die am Anfang stand und ein Geschenk der Gnade war. Diese Funktion des musischen Schaffensaktes läßt sich allenfalls kommandieren, die Eingebung nicht. Jene ist der menschliche Anteil an dem, was ansonsten rein göttlich wäre. Wir verdanken ihr aber die Versform der Iphigenie und, daß aus dem Urmeister die Lehrjahre und aus dem Urfaust der Tragödie erster und zweiter Teil geworden sind.

Kann dergestalt — die Frage wäre immerhin möglich — schöpferische Eingebung durch künstlerische Arbeit ersetzt werden? Grundsätzlich gesprochen: nie und nimmer! Nichts ist falscher als jener Satz, der besagt, daß Genie Fleiß sei. Denn der Fleiß des Unbegnadeten oder gar des Stümpers bringt doch immer nur lebloses Stückwerk zuwege. Wohl aber hat künstlerische Arbeit jenseits dessen, was sie durch Selbstkritik, Kunstverstand und handwerkliches Können zu leisten vermag, noch eine andere Wirkung:

Sie, die ein rastloses Bemühen und Dienen am Werke ist; sie, die immer wieder die schmerzlichsten Verzichte auf alles fordert, was menschliches Glück sein könnte; sie, in derem Zuge die Findung eines treffenden Epithetons das Hochgefühl eines Tages, das geringste Versagen aber die Höllenfahrten vieler Nächte bedeuten kann — sie, die künstlerische Arbeit, ist der schöpferischen Eingebung zwar niemals gleichzuhalten, immerhin aber vermag sie es, dieser den Weg zu bereiten; und sie allein versetzt letzten Endes in jenen Zustand der Heiligung, ohne den nur allzu leicht die Stunde versäumt wird, da der himmlische Bräutigam eintritt.

Briefe

Brief vom 17. April 1903 an Arthur Trebitsch:

Mein lieber Freund!

Dank und herzlichste Erwiderung. — Leider nützen Wünsche, auch wenn sie aus noch so treuer Brust kommen, nicht. Man sollte suggestive Gewalt haben, dann ja. Es wird nicht besser und kann nicht besser werden, wenn es einmal bergab geht, und so ist es mit mir. Kopfschmerzen, Rückenweh, Müdigkeit, trübes Sehen, Mangel an geistiger Spannkraft, ja an Interesse, an Produktivität, an Lebensfreude, wenn auch nicht an Liebe. „Aber die Liebe" —. Ich bin roh geworden im Lauf der Zeit, und heute, an meinem 22. Geburtstag, glaube ich an Weniges mehr. —

Wirklich, ich verlange nicht viel vom Leben — einen Fleck, wie ein Sarg so groß, zu liegen, zu lauschen, zu träumen, zu vergessen, mich zu sammeln, zu besinnen, freien Kopf zu bekommen, keine physischen Schmerzen mehr dulden zu müssen — ein Heft weißes Papier und einen Bleistift.

In einem verhaßten Berufe aber, in einer zerstörenden Umgebung, in zernagenden, unruhigen Zwitterverhältnissen taumle ich der Krankheit meines armen Vaters, der Schwindsucht meiner toten Mutter entgegen. Ich bin ein Verlassener, ein Toter unter den Lebendigen, ein Greis unter den Jungen, ein Kind unter Ernsten, Lebenstauglichen, ein Träumer, ein Phantast, ein Entgleister, Abgekommener, Enttäuschter, ein

Mensch des quälenden Bewußtseins, dessen Gefühle affektierte Begriffe, Begriffsaktionen sind, — bin nicht einmal imstande mehr, diesen Jammer zu singen.

So stehe ich heute da an meinem 22. Geburtstage. Das sind meine Sonnen, meine Lenze. Aber all dies ist Wirkung — Ursache. Ich habe mich nicht rein gehalten in meinem Herzen, ich habe nicht den Tempel gehütet, damit die Göttin einziehe, ich habe mit der Liebe, mit der Kunst, mit dem Glauben, mit der Ehre Hurenspiele getrieben — und nun ekelt mir vor den vielen geschminkten Dirnen. Ich lege hier ein Bekenntnis ab — ein Resumé. — Warum aber bin ich so geworden?

Wenn mir meine erschlafften Gehirnwindungen noch ein Werk schenken, eine Dichtung, ein blutiges Erbrechen meines Jammers, so will ich mich sine matre nennen. „Mutterlos." Denn das ist der Kern meines Elends. Die Frau, die man nicht und nie begehrt, vor der man weinend auf den Knien liegt in allen seinen Gebresten, an deren Brust man keine tierische Regung fühlt, die Frau, die ohne jenes sieghafte Lächeln, ach was, ohne jenes gemeine Dirnenlächeln der Geschlechtlichkeit, die keusche Hand auf meinen Scheitel legt, die Frau, die einzige, die man verehren kann, wenn man auch alle anderen verachtet, diese Frau, Madonna — Göttin — Mutter, habe ich nie gehabt und gekannt, so lange ich mein schüchternes Herz unter die Menschen tragen mußte.

So sieht es aus, lieber Freund! So und nicht anders. —

Ich möchte, daß mich jemand bei der Hand nimmt und führt, führt — sanfte, blumige Wege. Mit geschlossenen Augen möchte ich gehen und sie dann öffnen. Aber es würde gewiß wieder nichts sein. Adieu, mon ami!

Toni Wildgans.

Brief vom 12. August 1915 an Karl Wollf:

Sehr geehrter Herr Doktor!

Ich freue mich, zu hören, daß mein Stück im Laufe des September aufgeführt werden soll und daß Sie die Regie führen werden. Hoffentlich haben Sie inzwischen vom Verlage Staackmann oder von der Berliner Vertriebsstelle ein Exemplar des Buches mit der neuen Fassung der Schlußszene vom vierten Akt (actus mysticus) bekommen. Diese Fassung soll nunmehr allen Neuaufführungen zugrunde gelegt werden, und München wird also den anderen Bühnen darin vorangehen. Auf jeden Fall weise ich den Verlag unter einem an, Ihnen persönlich ein Exemplar der zweiten veränderten Auflage zu senden, zugleich mit anderen Büchern von mir.

Die Aufführung im September — obwohl ich nicht weiß, ob ich einen Termin so früh in der Saison als günstig begrüßen darf — ist mir deshalb sehr angenehm, weil ich ohnehin die Absicht hatte, im September nach München zu kommen. Ich halte mich auch jetzt schon in der Nähe auf und kann in vier Stunden in München sein. Ich werde somit, wenn es Ihnen recht ist, einigen Proben beiwohnen, und Sie können dann die Angaben, die ich Ihnen auf Ihren Wunsch über mich machen will, an mir selbst psychologisch nachprüfen. Ihre Methode, den Unberechenbarkeiten der Presse durch eine sachliche Orientierung des Publikums vorzubeugen, ist sehr im Interesse der Autoren gelegen und wird besonders mir und meinem Stücke sehr zugute kommen. Über das, was ich geschrieben habe, sage ich nichts. Ihr Urteil, oder mehr noch Ihr Gefühl, wird aus meinen Büchern das Richtige — davon bin ich überzeugt — herauszufinden wissen. Nur über das Verhältnis meiner Bücher zu mir will ich ein paar Worte verlieren:

Ich bin ein Mensch mit starkem, manchmal unbändigem Lebensbedürfnis, und ich habe viel erlebt; von äußerlichen Erlebnissen, wie weite Reisen und mancherlei Berufe solche sind, abgesehen, habe ich die lange Einsamkeit und die Härte einer Kindheit erlebt, die von meinem vierten Lebensjahr ohne leibliche Mutter war. Auch mein Vater wurde von einer Todeskrankheit, die ihn elf Jahre quälte, früher befallen, ehe er mir viel mehr sein konnte als der Überwacher meiner Studien. Ich war tatsächlich Zeit meines Lebens mir allein überlassen. Später, als mein Vater als pensionierter Ministerialrat gestorben war, trat zu meiner Verwaistheit auch noch die Sorge um die Existenz der Gegenwart und Zukunft hinzu.

Jene relative Armut, die aus dem Mißverständnis eines differenzierten Nervensystems zu den Mitteln, danach zu leben, besteht, und die im wesentlichen die Armut meines Stückes ist, habe ich selbst durch viele Jahre meiner Kindheit und Jugend erlebt — wenn auch auf dem Niveau einer viel höheren Rangklasse. Anders hätte ich dieses Stück auch niemals schreiben können; denn nur das Selbsterlebte zwingt mich, meine eigentliche Abneigung, zu schreiben, aufzugeben.

Ich bin viel zu sehr nach dem Leben aus, um mich ohne innerste Notwendigkeit an den Arbeitstisch zu verbannen. Denn eine Selbstverbannung ist es im wahrsten Sinne des Wortes, so oft ich arbeite. Da vertrage ich keine Menschen um mich, die mich etwas angehen. Ich lebe oft wochen-, ja monatelang, zumeist im Herbst und Winter, in einem Gebirgsdorf. Erst da beginnen sich meine unruhigen Geister allmählich zu sammeln. Dann aber arbeite ich fast ununterbrochen. Erst aus dieser Lebensentrücktheit finde ich die Distanz zu den Dingen, die ich formen will und die ich oft jahrelang in mir herumtrage, bis irgendeine kleine Analogie des Erlebens scheinbar längst verjährte Erlebnisse in mir auslöst. Dies gilt nicht nur von größeren Arbeiten, sondern sogar von kleinen und kleinsten Gedichten. Da ich selten aus dem ersten Erlebnis unmittelbar produziere, sondern zumeist erst aus einer Reihe ähnlicher Erlebnisse heraus, so stellt sich mir von selbst eine gewisse typische Formulierung ein, die bei mir nicht aus künstlerischem Wollen entspringt, sondern natürliches Ergebnis ist.

Demgemäß interessiert mich das Einmalige in der Literatur auch nicht, und ich trachte, jeden Stoff seiner Einmaligkeit zu entkleiden und aus ihm seinen allgemein-menschlichen Gehalt herauszuholen.

Daher bin ich auch der Meinung, daß ein Drama von den denkbar alltäglichsten Voraussetzungen ausgehen soll. Das Tragische, das sich nur aus besonderen Prämissen zu ergeben vermag, interessiert mich nicht. Handlung des Dramas scheint mir nichts anderes sein zu sollen als jener Prozeß, der aus der Alltäglichkeit der Realität zu einer allgemein-menschlichen Idee führte. Dies versuchte ich mit „Armut", und dieser Gedanke leitete mich hauptsächlich, als ich die allzu „einmalige" Szene des vierten Aktes durch die neue Fassung ersetzte...

Wenn es mir gestattet ist, Ihnen für die Arbeit, die Sie bezüglich meiner vorhaben, eine kleine Andeutung zu machen, so würde ich Ihnen besonders empfehlen, meinen Gedichten Ihre Aufmerksamkeit zu widmen. In ihnen ist so ziemlich all das enthalten, was mich kennzeichnet, mein Wollen deutlich macht. Zur Zeit, als ich nur Gedichte schrieb, sagten einige Kritiker, Lyriker sei ich zwar keiner, aber immerhin zeige ich in ihnen Hang und Fähigkeit zu einer gewissen Steigerung, was einen Dramatiker ahnen lasse. Als ich dann ein Drama schrieb, meinten die meisten, ich sei eben doch nur ein Lyriker, und so weiter.

Sie haben beide recht. Ich halte mich selbst weder für einen Lyriker, noch für einen Dramatiker.

Ich bin nur ein Mensch, der sich bemüht, die Wahrheit zu sagen, wie sie sich mir darstellt, und dies jeweils gerade mit den Mitteln jener Dichtungsart, die mir für den Fall als die geeignetste erscheint.

Das brauchen Sie, sehr geehrter Herr Doktor, den Leuten nicht zu sagen; denn nach ihrer Logik heißt es dann gleich: er ist kein Dramatiker, folglich ist sein Stück undramatisch, Synonym für langweilig!

Indem ich hoffe, Ihnen mit diesen zwanglos hingestreuten Bemerkungen einigermaßen gedient zu haben, bitte ich Sie, mir den Tag des Probenbeginnes bekanntzugeben, und freue mich, Sie in München persönlich kennenzulernen, als Ihr sehr ergebener

A. Wildgans.

Brief vom 11. Februar 1925 an Felix Braun:

Lieber Felix Braun!

Lassen Sie mich Ihnen vor allem herzlichsten Dank sagen für das schöne Nachwort, das Sie zu meinem Reclambändchen geschrieben haben. So kann sich nur ein Dichter in den Dichter einfühlen und mehr erahnend als wissend das im höchsten Sinne Wahre und Richtige treffen. Wenn ich Sie dennoch telegraphisch gebeten habe, mit der Abänderung der Korrektur innezuhalten und diesen meinen Brief abzuwarten, so geschah es, um auch meinerseits der Wahrheit zu dienen. Wie das zu verstehen ist, sollen Ihnen die folgenden Bekenntnisse, die Sie sich gefallen lassen mögen, andeuten.

Ich habe die furchtbarste Kindheit gehabt, die man sich bei einem Kinde meiner Kreise denken kann. Meine Mutter starb, als ich kaum vier Jahre alt war. Ein Jahr später heiratete mein Vater, hauptsächlich meinetwegen, ein alterndes Mädchen, die Tochter eines damals schon längst verstorbenen altösterreichischen Militärarztes. Aber die Liebe zu mir und zu Kindern überhaupt, die sie dem Bräutigam vorgetäuscht hatte, war verschwunden, als sie ihr Ziel erreicht hatte, und ich war nur mehr Last, Störenfried, ein überzähliges

Hindernis. Dabei wurde die Komödie der Mutterliebe dem überarbeitet heimkehrenden Manne weiterhin vorgespielt und ihm gegenüber mein verschlossenes Wesen betont, das Zärtlichkeiten nicht zu erwidern wisse. So entstand Parteinahme des ahnungslosen, im Stillen des gemarterten Herzens angebeteten Vaters gegen das Kind. Dazu kam die Eifersucht der Stiefmutter auf die erste Gattin, der jeder Augenblick des Alleinseins mit dem Vater abgestohlen werden mußte. So waren die Augenblicke selten, und wenn sie kamen, war die Zunge wie gelähmt, da sie die Wahrheit um des Friedens willen nicht sagen wollte, nicht sagen durfte und der heuchelnden Lüge nicht fähig war. So kam auch der Vater zu dem Eindrucke, einen Verschlossenen, Abwehrenden, Verstockten zum Sohne zu haben. Darüber waren in seelisch durchfieberten Nächten des Kindes viele heiße Tränen geflossen. Nur manchmal in Krankheiten brach noch die Sorge des Vaters durch, auch ängstlich verheimlicht vor der Eifersucht der Lebendigen auf die Tote. Aber es gab doch Augenblicke, in denen der damals Schwächliche, das Kind einer Lungenschwindsüchtigen, etwas von — Liebe ahnte. Für diese Augenblicke, in meiner Erinnerung an den Fingern einer Hand abzuzählen, habe ich meinem Vater Denkmäler errichtet, für sie und für sein späteres ungeheueres Leiden.

Mit kaum 16 Jahren verlor ich auch ihn, nicht als Lebewesen, sondern als Vater. Nach einer aufregenden Parlamentsitzung, wo er seinem Minister assistiert hatte, kam er eines Abends nach Hause, lag erschöpft auf einem alten Ledersofa, faltete mehrmals krampfhaft die Hände, wollte zu mir etwas sagen — und hatte die geordnete Sprache der Menschen verloren. Ein Blutaustritt im Gehirn hatte das Sprachzentrum zerstört. Aber der Verstand, die Seele waren wach geblieben. Auch die Energie eines Menschen hohen Geistes, die das Verlorene zurückzuerringen hoffte. Ein unsägliches Martyrium folgte. Vom frühen

Morgen bis zum späten Abend ging der Unglückselige im Zimmer auf und ab, mit der Uhr in der Hand, Wörter, die man ihm vorsagen mußte, einübend. Aber die eben noch mechanisch memorierten Worte entglitten im nächsten Augenblicke wieder der Fähigkeit, sie auszusprechen. Wer dächte nicht an Sisyphos und an die Arbeit der Danaiden? Dieses eintönige Murmeln einzelner Wörter und Sätze, die bis zum Selbstvernichtungs-Paroxysmus gesteigerten Anfälle der Verzweiflung über die ewige Fruchtlosigkeit, über ewiges Mißlingen, diese Tränenausbrüche hilfloser Augen, diese entsetzlichen Kämpfe eines gemarterten Gehirnes und zerbrechenden Herzens, die rohe Gleichgültigkeit sonstiger Familienmitglieder — all dies war die Begleitmusik meiner Jugend.

Aber es kam noch Schlimmeres hinzu! In elf langen Jahren des Leidens starb Glied um Glied ab. Der Lähmung des Sprechzentrums folgte die der Beine und schließlich die des linken Armes. Die Klarheit des Verstandes verdunkelte sich allmählich, nur das Herz blieb lebendig, reifte zu wundersamer kindlicher Güte. Eine verklärte Seele erlöste endlich der Tod. Aber die elf Jahre der Pflege nicht so sehr des Gatten als des Erhalters hatten auch ein anderes Herz erlöst; ein Herz, das mir einst hart und bitter gewesen, erlösten sie von seiner Härte und Bitterkeit. Friede auch seiner Asche! An der Bahre des Dulders standen zwei Versöhnte.

Nun erst kam wirkliche Armut. Die Witwenpension war ein geringer Bruchteil des Ruhegehaltes des noch Lebenden. Da galt es: „Rechnen und Sparen und nach außen die Haltung bewahren, daß es nicht hieße, die Bettelleut'!“ Auch dies ein Martyrium und ein Übermaß der Sühne. Für den Sohn aber, der auf die Pension der Stiefmutter kein Recht des Mitgenusses hatte, kam — in den Anfängen des Universitätsstudiums — die Notwendigkeit des eigenen Broterwerbes und der stolze Wunsch, dem auch gewachsen zu sein. Was aber ist ein unfertiger Student? Es ergaben sich alle persönlichen und gesellschaftlichen Erniedrigungen. Aber endlich — nach manchen Abenteuern und bitteren Unterbrechungen — war das Ziel erreicht und die Möglichkeit, bei Gericht einzutreten, gegeben. Und vor dem Ungeheuren menschlichen Irrens und Leidens, das da sich dem Blicke auftat, verblaßte das Bild des durch die Kraft der Jugend überwundenen eigenen Leidens, und es ward Mitleid, und es ward Liebe. —

Dies ist nur ein Abriß, das Skelett eines inneren Werdeganges. Aber Sie sind ein Dichter, lieber Felix Braun, und ich frage Sie als solchen: glauben Sie nach dem, was Sie nun wissen, noch immer, daß es bei einem Manne, der solches erlebte, „eines Blickes Wedekinds in das Untere des Lebens" bedürfe? Und wenn Sie „etwas Strindberg Verwandtes" feststellen, wissen Sie jetzt, daß diese Verwandtschaft nichts Literarisches ist, sondern die Gemeinsamkeit furchtbaren Erlebens, bei mir zu einer Zeit ausgekostet und für künftige Gestaltung unbewußt bereitgestellt, wo ich von Wedekind und Strindberg noch keine Ahnung hatte?

Aber man könnte sagen: wohl, das Erlebnis ist ein ureigenes, und mit Strindberg und Wedekind liegt nur eine Koinzidenz vor. Daß aber und wie es gestaltet worden, geschah unter dem Einflusse der Formen, die jene anderen für solche Erlebnisart geschaffen. Dies ist durchaus möglich und trifft auch in einem anderen Falle, von dem ich gleich sprechen werde, bei mir zu. Wer aber bediente sich nicht, bewußt oder unbewußt, der schon vorhandenen Formen, zunächst wenigstens? Wo ist in allen Künsten das Originalgenie, das nicht auf Vorhandenem fußte, das nicht, zunächst wenigstens, bloß den neuen Wein in alte Schläuche gösse? Nicht einmal Goethe — ja am wenigsten fast er — war ein solches Originalgenie, obwohl er vielleicht das größte Genie der Dichtkunst überhaupt war.

Daß aber eine fremde, vorhandene Form eigene Erlebnisse erst in den Bereich der Gestaltung rükken kann, daß wir eigene Erlebnisse als gestaltbar vielleicht gar nicht erkennten, wenn solche Formen nicht schon da wären, das will ich gerne — und für mich — zugeben. Aber dieser Vorformer im Gedicht war für mich nicht Rilke, sondern — Baudelaire. So wahr mir Gott helfe!

Bedenken Sie: das Erlebnis meiner Kindheit, meine Knaben- und Jünglingsjahre! Für dieses Ungeheure waren Formen, die wir alle zunächst dem Klassizismus nachempfunden haben, für dieses unmittelbar erlebte eigene und fremde Menschenleid waren diese immerhin noch spielerischen Formen Gefäße aus flatternder Seide und glitzerndem Glas, insonderheit wenn ich an die Lyrik Heines, deren Rhythmus sich ja am stärksten einprägt, und selbst an die Goethes denke. Was formten diese bestenfalls? Liebesschmerzen, d. h. Einzelkümmernisse. Was waren für mich — Liebesschmerzen? Was waren alle Einzelkümmernisse, die meinen eingeschlossen, für mich, der im Schatten des ungeheuersten fremden Leides, des Martyriums des geliebtesten Menschen aufgewachsen war? Nicht daß ich als Sechzehnjähriger und später nicht auch Liebesgedichte gemacht hätte! Aber was waren diese Schmerzen, um es nochmals zu sagen, was waren sie für mich? Was waren die Formen für mich, die gerade noch gut genug waren, um dergleichen zu umfassen und auszudrücken? Mein Herz hatte für Leiden andere Maße erlernt und fand nicht nur die eigenen, sondern auch die fremden Liebesschmerzgedichte unendlich schal. Das Vitale, Animalische dieser Angelegenheiten widerte mich geradezu an — ist mir auch heute noch gleichgültig, selbst bei — Goethe. So verstummte schon dem Siebzehn-Achtzehnjährigen alles Lied. Denn die Form für das eigene, eigentliche Erlebnis war noch nicht gefunden, schien überhaupt unfindbar. Da kam dem Zwanzigjährigen die Erleuchtung: Baudelaire. Hier war alle Qual geformt, und alle Lust mit den Händen der Qual. Hier war die Liebe keine Angelegenheit der „Äuglein“ und des „Rosenmundes“, hier war sie das, als was wir sie im Laufe des letzten Jahrhunderts zu erleben gelernt haben: die Geißel Gottes! Hier waren die zertretenen Gestalten der Großstadt, „die kleinen Alten“, die Mörder, Diebe, Dirnen, Säufer! Hier war für ihrer aller Leid die Form gefunden, die mein eigenes Erlebnis für sich selbst brauchte.

Diese Erkenntnis beseligte, berauschte wie kein geistiges Erlebnis vorher, aber sie zerschmetterte auch. Daher war die Folge nicht etwa, daß nun dem eigenen Erleben die Zunge gelöst worden wäre, sondern die Folge war: noch kleinlichere Hemmung, noch quälenderes Schweigen. Erst dann wurde zögernd sein Bann gebrochen, nur dem äußersten Drucke des Inneren nachgegeben, erst dann wurden einige wenige Gedichte, deren „Melodie tief bestimmt war“, aber nicht von Rilke, sondern von Baudelaire. Dieser Zusammenhang ist die Wahrheit, und wie ich vor Ihnen für sie Zeugnis ablege, so werde ich es eines Tages vor aller Welt tun, wenn mir die Zeit hiefür beschieden sein sollte. Denn die kommt erst am Ende, nach getaner Arbeit, als Rückblick, Rechenschaft und Dankopfer. Was ich aber mit Rilke im Einzelnen gemeinsam habe, ist wahrscheinlich nichts anderes als dies: daß auch er — wie übrigens auch Dehmel — von den Franzosen des 19. Jahrhunderts herkommt. Ich habe ein feines Gehör dafür; ich habe mir dieses Gehör in Schmerzen erworben.

Und nun überlasse ich Ihnen dieses tiefere Wissen um mich und stelle Ihnen anheim, damit anzufangen, was Ihnen Ihr Herz eingibt. Ihre Meinung will ich nicht beeinflussen, und um ein Zeugnis, das Ihnen falsch dünken könnte, will ich mich nicht bewerben. Aber im allgemeinen und vom höchsten Standpunkte der Kritik aus möchte ich zum Schlusse hinzufügen:

Wenn ein Strom rauscht, seine Ufer nährt und Menschen freut, so können wir es getrost den Geographen überlassen, sich darum zu kümmern, was alles in ihn mündet. Und insonderheit wenn es sich um Dichtung handelt, so gilt nur die Frage, ob der Strom aus einem Herzen, ob er aus einem Erlebnis kommt oder ob er nur widerspiegelt, was ein Gehirn an Fremdem gelesen. Aber solches Spiegelbild mit Steinen einzuwerfen hat auch keinen Sinn; denn es bleibt unfruchtbar und trägt seinen Fluch in sich.

Und alle sind wir eingefügt in die Kette menschlicher Entwicklung und haben nichts nur aus uns und sind jeder doch ein Anfang. Und den heiligen Brand des Geistes reichen wir einander in tausend und abertausend Funken von Geschlecht zu Geschlechtern. Wehe dem, der sich und seinen Brüdern kein Licht daraus entzündet, sondern des Bruders Teil in Papier erstickt, wenn er es auflodern lassen möchte zu seinem kleinen Ruhme. Und letzten Endes: von all den Bibliotheken, die jedes Jahr unserer Zeit geschrieben werden, wird vielleicht nicht anderes übrigbleiben als in eines jahrtausendkünftigen Knaben Wunderhorn das unbeholfene Gedicht eines kleinen Dorfschullehrers, über das die Geographen der Literaturkritik in ein Johlen ausbrechen würden, wenn sie es in der Osternummer eines kleinen Fachblattes für Holzarbeiter am heutigen Tage entdeckten.

Diese letzte Erkenntnis bewahre mich vor dem Verdachte der Eitelkeit, von der mein Herz nichts weiß.

Tausend Grüße!

Anton Wildgans.

Brief vom 8. Jänner 1930 an Emil Reich:

Hochverehrter Herr Professor!

Anbei das gewünschte Elaborat, soweit ich es in der Eile und angesichts eines neuerlichen kleinen Rückfalles herstellen konnte. Ich habe mich im allgemeinen damit begnügt, von jedem der drei Werke die Idee und die Absicht, die mich dabei leitete, anzugeben.

Armut.

Tragödie in fünf Akten.

Hier ist gestaltet: die tragische Bedingtheit der Persönlichkeit und ihres Schicksals durch materielle Not. Vom Besitze oder Nichtbesitze einer belanglosen Summe im kritischen Augenblicke kann der moralische Ausgang eines Lebens abhängig sein. Der Arme vermag nur durch den unermüdlichen Einsatz seiner Persönlichkeit die Ungunst materieller Verhältnisse wettzumachen.

Vor Verbitterung und vorzeitiger Verbrauchtheit, vor sittlicher Indifferenz schützt ihn nur die Erkenntnis, die der Held des Stückes (der Gymnasiast Gottfried) im letzten Akt ausspricht:

Ein Amt ist verliehen uns:
Armut heißt es und will verwaltet sein
Wachsam, keusch und genau...

Durch diese Erkenntnis verwandelt er das Lähmend-Negative der Armut zu einer das sittliche Handeln bestimmenden positiven und produktiven Kraft. Durch das Einzelleiden an der Armut gelangt er zum Mitleiden mit den Armen, sei es als Mensch, der das Leid der anderen bloß fühlt, sei es als Dichter, der das Mitleid zur Tat des Kunstwerkes steigert, sei es als Heiliger, der durch Selbstaufopferung die Brüder vom Leide erlöst.

Liebe.

Tragödie in fünf Akten.

Das Bild einer Ehe zwischen zwei sittlich hochstehenden Menschen, die in wahrer Liebe zueinander gefunden haben und trotzdem nicht verschont bleiben von dem Zwiespalt der menschlichen Natur, welche die „himmlische" und die „irdische" Liebe in sich beherbergt. Beide sehen die Gefahren, die ihnen aus den Abgründen des Blutes her drohen, mit voller Deutlichkeit. Aber diese Erkenntnis allein vermag sie nicht zu feien. Sie müssen beide, jeder in seiner Art, in Versuchung geraten und diese Versuchung siegreich bestehen, ehe sie — freilich nunmehr umso wissender! — wieder zueinander finden. Die Voraussetzung für diese innere Wiedervereinigung ist rückhaltlose Wahrheit. So beichten diese beiden Menschen im letzten Akte ihre — Gedankensünden. Der Mann gelangt hiedurch zur Vergeistigung des Trieblebens und zur Kraft der Entsagung, die Frau zur Kraft, die Entsagung als Schicksal zu dulden, beide zu dem Troste, mit solchem Leid nicht allein auf der Welt zu sein.

Dies irae.

Tragödie in fünf Akten.

Problem: die Verantwortlichkeit der Eltern beginnt nicht erst gegenüber dem geborenen Kinde, sondern bereits gegenüber dem noch ungeborenen. Es ist nicht bloß Sache der persönlichen sinnlichen Vorliebe oder gar anderer auf irgendwelchen Vorteil gerichteter Erwägungen, welche Frau der Mann zur Mutter seiner Kinder macht. Er ist diesen gegenüber für die Wahl, die er getroffen hat, verantwortlich. Dr. Fallmer, der Held der Tragödie, hat sich in dieser Beziehung versündigt. Es war nicht gerade eine bloße Geldheirat, die er eingegangen war, es hat wohl auch sinnliches

Wohlgefallen mitgespielt; Liebe aber oder gar Achtung hat er seiner Frau nie entgegengebracht, zumal sie aus einem Kaufmannsmilieu stammte, das er als strenger und starrer Humanist geringschätzte. Das Ergebnis von alldem ist Zerwürfnis, und dieses setzt sich fort als Zwiespalt und Zerrissenheit in der Seele des einzigen Kindes, das jeder der beiden Elternteile gegen den anderen auf seine Seite zu bringen sucht. Dieser Kampf, der mitunter auch mit vergifteten Waffen ausgefochten wird, bildet die Vorgänge der Tragödie und endet konsequent mit dem Untergang des Kampfobjektes, des Sohnes. In diesem Drama wurde bereits 1918 der Finger auf eine Wunde gelegt, die erst in den darauffolgenden Jahren in voller Furchtbarkeit aufgebrochen ist und heute als Eltern-Kinder-Problem die Diskussion aller Welt beherrscht. Insofern ist es ein Vorläuferdrama, das aber von keinem seiner Nachfolger an Ernst, Tiefe und Gerechtigkeit übertroffen wird.

(Aus dem Werk: „Anton Wildgans, Ein Leben in Briefen, Manuskripten und Bildern“. Wien 1947. Mit freundlicher Genehmigung des Wilhelm Frick-Verlages.)

Cordulas Kreuzweg

Kirbisch, Zwölfter Gesang

Schriebl, so hieß das Gehöfte, und Siemon, so
hießen die Leute,
Die es gepachtet hatten seit vielen Jahren und dort im
Schweiße des Angesichts die kärgliche Erde bebauten.
Stundenweit über dem Dorf und der jetzigen Grenze
des Hochwalds
Lag die bescheidene Wirtschaft am Rand eines
uralten Schlages,
Dessen Strünke und Wurzeln wie Riesengebeine der
Vorzeit
Stürme- und güsseverwittert verkarstendes Erdreich
bedeckten.
Aber jenseits des Schlages begannen die Almen und
Matten,
Die sich, von Krummholz bestanden und niedern
Wacholdergesträuchen,
Schimmernd zum Rücken empor des gewaltigen
Volland erhoben;
Bloß ums Gehöfte herum, als freilich nur bedürftiger
Windschutz,
Ragten vereinzelte Lärchen aus sumpfig verdunkeltem
Moosgrund,
Sonst doch nirgends ein Baum, der aufrecht den
Stürmen noch Trotz bot.

Und es war im November. Die mächtig umgebenden
Höhen
Glänzten seit Wochen im Schnee, und dennoch waren
die Lüfte

Über dem Passe gelinde. Den nächtlich sich bildenden Rauhreif
Schmelzte die Sonne noch immer an jedem Morgen, die Matten
Tauten dann glitzernd auf, von den oberen Hängen herunter
Rieselten Adern und Bächlein, die Stapfen der weidenden Rinder
Sprenkelten schwärzlichen Brauns die wasserdurchsickerten Gründe,
Und vor dem Hause ein Quell, aus bemoost und umrindetem Holzrohr,
Schwatzte mit plätscherndem Fall in das Glucksen und Raunen der Läufte.

Hier nun lebte geborgen seit jener Nacht des Entsetzens
Cordula, gerne gesehn und betreut von den biederen Leuten,
Denen sie fleißig half, soweit es ihr Zustand noch zuließ.
Und er beirrte sie kaum. Sie trug des werdenden Lebens
Last mit der spielenden Kraft des sehnig geschmeidigen Körpers,
Der an die Arbeit gewöhnt und in steter Bewegung geübt ist.
Nichts von der fahlen Erschlaffung, die vielen Erwartenden eigen!
Straffer war ihre Gestalt vom rüstigen Schaffen im Freien,
Frischer ihr Angesicht in der köstlichen Bergluft geworden,
Magdlicher blühte die Stirne ihr, und ruhiger weilten die Augen,
Wenn auch vom Wissen umflort um die tückischen Launen der Menschen.

Siemons hatten ein Kind, eine spätgeborene Tochter,
Die schon seit ihrer Geburt an beiden Beinen
gelähmt war.
Cordula kannte sie lange und hatte die Kranke auch
früher
Öfters im Jahre besucht, jetzt aber schloß sie die
Ärmste
Ganz in ihr mütterlich Herz und lehrte sie immer
des Abends,
Eh sie mit ihr in der Kammer zu Bett ging, lesen
und schreiben.
Festliche Zeit für das Kind! Da mochte draußen der
Nachtwind
Leise die Hütte umwehn oder heulend als Sturm sich
gebärden,
Oben im niederen Dachraum, durchduftet vom
harzigen Holzrauch,
Blühte die Andacht auf aus Cordulas altem
Gebetbuch,
Und dem vergilbten Kalender aus Olims Zeiten
entstiegen
Bunt vor der Seele des Kindes die magischen Bilder
des Lebens.
Wenn dann die Kleine endlich, zum Schlummer
versorgt und gebettet,
Selig in Träume entrückt war, da schob die ältere
Freundin
Näher zum eigenen Pfühl das leise brodelnde
Lämpchen,
Nähte aus allerhand Leinwand, die Mutter Siemon
gespendet,
Winziges Wäschezeug und versann sich bis tief in
die Nacht noch:
Sanft war das Leben mit ihr ja nicht verfahren,
für Liebe
Hatte sie Schande geerntet, für Arbeit und Plage
nur Armut;
Aber stille davon! Des Mädchens tapferes Herz schied

Alles, was Gift war, aus, und wenn der Morgen herankam,
Sanken die Lider auch ihr, der Auslaufbrunnen am Hause
Schläferte silbernen Wohllauts die bangen Gedanken zur Ruhe,
Schauder der Frühe verkühlten das pochende Fieber der Schläfen,
Und sie erwachte gestärkt nach kurzem Schlummer zum Tage.

Unten im Dorfe die Leute wußten um Cordulas Zuflucht,
Doch auf den Schriebl herauf kam niemand von ihnen in diesen
Zeiten des winternden Jahres. Nur einmal am Feste Martini
Brachte ein Kind einen Brief von der Krankenkasse der Landstadt:
Alle Spitäler belegt mit blessierten Soldaten, für junge
Mütter nirgends ein Raum, noch geeignete Nahrung; da sei es
Immer das Bessere noch, das Ereignis lieber zu Hause
Abzuwarten. Zu Hause? Da schluchzte freilich das Mädchen
Manchmal bitterlich auf und fühlte sich elend und mutlos,
Aber auch dieses verging, und als nach gesegneten Tagen
Köstlichen Friedens auch jener des Abschieds vom Schriebl herankam,
War sie schon wieder beruhigt und heiter-gewärtiger Seele.

Zögernd erhob sich der Morgen in jener Frühe; des Nachts war

Bis zum Gehöfte herunter Neuschnee reichlich
gefallen,
Nebel umhingen das Haus und verhüllten die Tiefen
und Höhen.
Cordula hatte ihr Bündel schon gestern heimlich
gerüstet,
Schlich auf behutsamen Zeh'n aus der Kammer des
schlafenden Kindes,
Stärkte sich noch auf den Weg am geheizten Herde
und nahm dann
Urlaub von ihren Wirten. Es waren nur wenige
Worte,
Die da gewechselt wurden: „Vergeltsgott!“ und
„Glück auf die Reise!“

Aber oben im Dache umhielten zwei kränkliche, blasse
Händchen ein altes Gebetbuch, ein plötzlich von
Ahnung erwachtes
Antlitz erhob sich mühsam, gewahrte Kammer und
Bettstatt
Leer und — lauschte noch lang auf ein Etwas, das
immer noch nachklang,
Während das Mädchen schon längst an jene Stelle
gekommen,
Wo man zum letzten Mal noch, bevor es zu Tal geht,
den Schriebl
Ferne erblicken konnte. Da hatte die purpurne Sonne
Weichenden Dünsten obsiegt, nur rosig-vergehende
Wölkchen
Hafteten noch im Geklüfte, die schneeüberbreiteten
Gipfel
Brannten wie glühender Stahl in die glanzlos
schwärzliche Bläue,
Aber die Täler erfüllte nun um so dichterer Nebel.
Und durch dies Element, dies feindlich-drohende,
mußt nun,
Cordula, du hinab, deinem irdischen Schicksal
entgegen!

Noch, noch gehst du im Lichte und atmest silberne Wölkchen
In die kristallene Klarheit der eisigen Lüfte, doch jetzt schon
Nur mehr wenige Schritte, dann legen sich Schleier um Schleier
Immer dichter um dich, kaum siehst du den Weg mehr, des Tages
Köstlich Bläue verlischt, und fröstelnd-dämmrige Nacht wird!

Und der Abstieg begann. Über nässeschlüpfrig Gerölle,
Gräserdurchwachsene Halden und sumpfig-durchsickerten Moosgrund
Ging's eine Weile hinab, beschwerlich; dann aber tauchte
Mählich vor Cordulas Blick die oberste Vorhut des Walds auf:
Einzelne Schattengespenster verwetterter Lärchen, dann Birken,
Starrend im gelblichen Braun des frostüberdauernden Laubes,
Ebereschen sodann mit farblos-verschrumpften Behängen
Sonst so leuchtender Beeren, und endlich, nachdem sie durch junge
Pflanzungen lange geschritten, enttrat auf einmal dem Nebel
Wie eine finstere Wand die Fichtenflanke des Hochwalds.
Und hier war auch das Kreuz, ein uralt-vermodertes Holzkreuz,
Welches den Heiland trug und bei dem die Wege sich teilten:
Einer hinab in das Dorf und, dieses umgehend, der andre.

Cordula zögerte nicht und wandte sich dorfwärts;
denn was sie
Dort auch immer erlebt an Traurigem, Bitterm
und Bösem,
Ohne Abschied vom Pfarrer wollte sie nicht
in die Fremde;
Aber je länger sie hinschritt, um so beklommener
ward ihr.
Freilich war es kein Grauen vor Wesen und
wirklichen Dingen,
Das sie nun überlief in dieser verhangenen Wildnis,
Doch der Weg, den sie jetzt ging, er war der
nämliche Abstieg,
Den sie im Frühling dereinst am Tag vor
Fronleichnam genommen —
Alpenrosen im Arme und Himmelschlüssel in
Händen!
Und die Erinnerung kam aus Korallentiefen der
Seele:
Damals erklangen die Wipfel von reizender Lockung,
aus Büschen
Flötete Antwort zurück, und Heidel- und
Preiselbeerkräuter
Würzten mit prickelnden Düften den liebenden
Aushauch der Erde;
Jetzt doch nirgends ein Laut lebendigen Regens,
nur manchmal
Über der lastenden Wolke Gekrächze sich sammelnder
Krähen.
Damals ging es hinab zu Fahnen und Farben,
im Herzen
Hochzeitliches Geläute, und selbst noch im Zweifel
war Hoffnung;
Jetzt doch, grau war die Welt, die Hoffnung
zuschanden, der Zweifel
Schlimmste Gewißheit geworden und nirgends
Anhalt und Zuflucht! —
Cordula, schmerzhafte Magd, wo führt dein Weg hin?

Wo wird dir,
Wenn deine Stunde genaht, die Bürde des heiligen Lebens
Abzusetzen erlaubt sein? Glaubst du noch immer an Menschen,
Welche die Hungrigen speisen, die Dürstenden tränken und wunden
Füßen ein Labsal bereiten? Ist dir da unten bei jenen,
Welche dich ausgetrieben mit Schimpf und Verachtung, ist dort dir
Irgendein Stall so gewiß, bei Ochs und Esel ein Kripplein,
Wo du dein Kindlein bettest, und wär' es auf Stroh nur und Lumpen?
Aber die Engel lobsängen: Ehre sei Gott in der Höhe!
Aber die Könige kämen mit Gold und Myrrhen und Weihrauch,
Anzubeten das Kind: den du dir gebarst, deinen Heiland! —

Da erwachte die Magd und hemmte die Schritte und lauschte:
Anzubeten das Kind? Den du dir gebarst, deinen Heiland? —
Ewiger Muttertraum! — War dies eine wirkliche Stimme,
Die es ihr zugeraunt, um sie zu versuchen, gewesen?
Wohl, laut schlug ihr Herz, und noch ein anderer Pulsschlag
Rief sie geheimnisvoll aus tiefsten Verliesen des Bluts an,
Aber der Wald war still, nur Nässe tropfte in allen
Bäumen von Zweigen zu Zweigen, an jeder einzelnen Nadel
Hing die kristallene Träne und zögerte, eh sie herabfiel.

Da doch, indes sie noch stand und horchte und
schaudernd um sich sah,
Kam's durch die tosende Stille der lautlos flutenden
Nebel
Wie aus der anderen Welt, wie ein Atemholen von
fernen
Ehern-beseelten Lungen: Geläute! Wirklich Geläute?
Heute am Werktag vor Mittag? Das war kaum
möglich, und dennoch:
Anders konnt es nicht sein, was da klang, als
Übelbachs Glocken!

Und nun ging sie nicht lang mehr, da war auch die
Wolke durchschritten;
Dämmernde Schleier verzogen, die Wipfel der
finsteren Fichten
Wurden allmählich sichtbar und Himmelsahnung
darüber.
Schon begann auch der Hohlweg, der erlenumbuschte,
die Wiesen
Senkten sich sanfter hinab, die gepflügten Felder
von unten
Stiegen bräunlich heran, aus kahlem Wipfelgewirre
Hob sich die Spitze des Kirchturms, und Cordula
stand bei dem Bänkchen
Unter der einsamen Fichte, wo einst am Tag vor
Fronleichnam
Thomas, der Pächter vom Volland, für immer
Abschied genommen,
Stand und blickte hinab auf die Dächer des Dorfes
und sah den
Platz vor der Kirche erfüllt von ungewöhnlichem
Leben:

Übelbach war auf den Beinen! Ein schwärzlich
Gewimmel von Menschen
(Weiber und Kinder zumeist, in ihren
Werktagsgewändern)

Hielt sich in Gruppen beisammen, um wieder einmal nach etwas —
Ob es nun Hochzeit galt oder Kindstauf' oder Begräbnis! —
Klatschend und tratschend zu gaffen. Da brachte auf einmal ein dünnes,
Helles Trompetensignal Bewegung unter die Leute:
Alles drängte zur Mitte des Platzes, Feuerwehrhelme
Funkelten plötzlich auf, das Messing von Blasinstrumenten
Schimmerte zwischen den Köpfen, und unter Glockengeläute,
Während mauergedämpft die Orgel erbrauste, marschierte
Über den Kirchplatz, die Hüte mit glitzernden Buschen
Über und über geschmückt, ein Zug von Männern und machte
Front mit dem Rücken zum Schulhaus und stand in Reihe und Glied da.
Jetzt erst entsann sich das Mädchen, und plötzlich erkannte sie deutlich
Meister Oremus, den Schmied, der die anderen hoch überragte,
Zaunschirm, den Feuerwehrhauptmann, Hitzgern, den Maurer, und ganz am
Linken Flügel der Front, das Haupt wie gewöhnlich ein wenig
Spöttisch zur Seite geneigt, den mephistophelischen Schreiner!
Aber die andern Rekruten waren halbwüchsige Burschen,
Kaum erst der Schulbank entwöhnt, aus dem weitern Gebiet der Gemeinde!
Da doch verstummten die Glocken, Kommandorufe ertönten,
Letztes Winken geschah, und unter Trompeten-geschmetter,

Unter Tschinellengeklirre und Trommelgepolter
begab sich
Dieser traurige Zug von alternden Männern und
Knaben,
Mit Hurra und Hallo von den Gassenkindern
begleitet,
Unbeholfenen Marschschritts dem unteren Teile des
Dorfs zu.
Übelbach, Örtchen im Glück, wer wird dir von nun
an die Schuhe
Fertigen, wer deinen Giebeln die Flammen wehren,
wenn Zaunschirm,
Schuster und Feuerwehrhauptmann, im Feld ist?
Wer deinen Pferden
Eisen an Hufe schlagen und wer deinen rissigen
Mauern
Mörtel geben und Halt, wenn Oremus, der
Hufschmied, und Hitzgern
Unter die Streiter gegangen? Doch wer vor allem
wird deinen
Toten die Särge zimmern, auf daß man sie
christlich begrabe,
Wenn Herr Hiebaum, der Schreiner —? Allein, was
scheren dich Tote,
Übelbach, Dörfchen im Glück? Dir bleiben ja
Lebende reichlich,
Die deinen Aufschwung besorgen! Der lenden-
gewaltige Selcher,
Hahn im Korbe nunmehr bei dem Weib des
Gendarmen, vergießt auch
Fürder das Blut seines Stechviehs — zu deinem
Vorteil und seinem!
Frischenschlager, der Bäcker, bäckt weiter für
Schieber und Dirnen,
Die dich im Winter nun auch zum Liebesneste
erkoren,
Kuchen und duftendes Weißbrot zur übrigen
Friedensverpflegung!

Johann Baptist Populorum sowie seine staatlich
geprüfte
Gattin vertreiben auch weiter im großen Stile
die Mittel
Für und gegen das Leben an Leute, welche bei
Geld sind,
Und sie alle zusammen, durchwegs die rüstigen Männer,
Streuen nahrhaften Sand auch fürder ins Aug'
des Gesetzes,
Daß es geschlossen bleibe und ihre Geschäfte
nicht störe!
Und was den Gastwirt betrifft, deinen Ortsvorsteher,
so hat er
Seinen Andreas, den Sohn, auch diesmal wieder
vom Kriegsdienst
Freibekommen, damit — der Pschunder auf Erden
nicht ausstirbt!
Und die Musik verlor sich die Straße zum Bahnhof
hinunter,
Wurde zum bloßen Geräusche, aus dem nur manchmal
der lange
Ruf eines einzelnen Hornes, vom Wind auf die
Flügel genommen,
Immer ferner erklang zum Pochen der türkischen
Trommel,
Bis auch diese verwehte. Dann lag das Dorf und
die Landschaft,
Jenes wie ausgestorben mit leergewordenen Gassen,
Diese nur himmelbelebt von Schwärmen krächzender
Krähen,
Unter dem düstern Gewölbe in winterlich-
schweigendem Grau da,
Und über Wiesen hinab, vom erhabenen Platz bei
der Fichte,
Kommst nun auch, Cordula, du dem Tal zu, um
Abschied zu nehmen:
Abschied vom Dorfe im Glück, dem Ort deines
Schicksals, und jenem

Einzigen Menschen in ihm, der immer dein gütiger
Trost war.
Nur noch wenige Schritte, so tritt er dir lächelnd
entgegen,
Lädt dich zu sitzen ein, und während die tickenden
Uhren
Rings an den Wänden, auf Kasten und Simsen
vertraulich beredt sind,
Spricht er von diesem und jenem mit dir und
vermeidet behutsam,
Dich um etwas zu fragen. Du aber hast nur den
einen
Wunsch, ihm alles zu sagen, oh alles, damit dieser
Eine,
Der dir noch gut ist auf Erden, wisse, daß du nicht
schlecht bist!
Dann doch, wenn dieses geschehen und du ihm alles
gebeichtet,
Wenn sich die Härte gelöst hat, der Panzer wider
Verachtung
Unberufener Richter, die Notwehr wider Verfolgung,
Wirst du zu Füßen ihm knien, und er, er wird
dich erheben
Und mit dem Worte des Heilands: „Dein Glaube
hat dir geholfen!"
Wird er dir kraft seines Amtes, zu binden oder
zu lösen,
All deine Fehle verzeihen und segnen die Frucht
deines Leibes...

Und schon nahte die Magd den Wirtschaftsgebäuden
des Pfarrhofs,
Denen der ländliche Duft von Ställen und Scheunen
entströmte,
Und sie steht vor der Einfahrt des brettergebildeten
Hoftors
Lauschend und pochenden Herzens. Da wird es
drinnen lebendig.

Wittern die Hunde dich schon, o Cordula, daß sich im Hofe
Helles Gebelle erhebt und freudiges Winseln und Springen
Wider die trennende Planke und Kratzen an ihr mit den Pfoten?
Und du entriegelst das Tor und stehst nun im Hofe, und jauchzend
Springen die Rüden dich an. Die abgemagerten Tiere
Lecken dir Hände und Füße, und mühsam nur kannst du dich ihres
Heftigen Andrangs erwehren. Da tritt aus der niedrigen Stalltür,
Um nach dem Grund des Gebelles zu schauen, mit hölzernen Schritten,
Weit nach vorne gekrümmt, eine Narbe über dem Auge,
Vitus, der Arme im Geiste, und sieht und erkennt dich, und Lachen,
Weinen und wieder Lachen und Weinen erschüttert die treue
Stammelnde Kreatur wie Sturmwind. Da wollen die rauhen
Abgerissenen Laute und viele wirre Gebärden,
Wollen dir alles erzählen und finden nur sinnlosen Ausbruch,
Welchem du nichts entnimmst und den du ratlos beschwichtigst,
Bis dich der Knecht an der Hand nimmt und hinter sich her in das Haus zieht.
Und du trittst in die Küche. Da brennt kein Feuer im Herde,
Und vom Geräte entblößt sind die Kasten, Gesimse und Wände.
Und du siehst in die Kammer der Greisin, und schaurige Kälte
Schlägt aus dem Raum dir entgegen, in dessen verwahrlosester Ecke

Nur mehr ein eisernes leeres, matratzenberaubtes
Gestell steht.
Und du irrst durch die Gänge gespenstisch hallender
Schritte,
Drückst auf die Schnallen der Türen, die alle
verschlossen, und endlich
Hältst du vor der Kanzlei. Da hängt an der Tür
ein Zettel:
„Komme in einer Stunde", und neben der Tür auf
dem Gange
Steht ein Tisch, den du kennst, und auf dem Tische,
da liegt ein
Staubiges Durcheinander von Uhren und Teilen
von Uhren,
Winzige Schräubchen und Rädchen, Gläser und
Scherben von Gläsern
Und, inmitten des Wustes, verwaist und zwecklos
geworden,
Allerhand einfaches Werkzeug, wie es der Pfarrer
benützt hat,
Wenn er in einsamen Nächten die müden metallenen
Herzchen
Wieder in Gang zu setzen mit liebendem Eifer
bemüht war.
Und da fühlst du auf einmal, wie schwer dein
Körper geworden,
Fühlst wie matt deine Knie, wie wund deine Füße
und daß du —
Oh, wie warst du doch reich noch vor Augenblicken
gewesen! —
Ohne Segen und Trost nun hinaus in die feindliche
Welt mußt!

Lange brauchte die Magd, um sich allmählich zu fassen,
Dann verließ sie den Pfarrhof, und über den Platz
vor der Kirche
Schritt sie, von niemand begegnet, dem Wiesen-Ende
des Dorfs zu.

Barhaupt geht sie einher in der mütterlich-hohen Beschwernis
Ihres gesegneten Leibes. Die schimmernde Fülle des Haares
Krönt wie ein Leuchten ihr Haupt, und die herber geschlossenen Lippen
Zeichnen den schmerzlichen Mund in das strenger gewordene Antlitz.
Dir aber, Cordula, folgt in rührend linkischer Ehrfurcht
Vitus, der Arme im Geiste. Er trägt dein bescheidenes Bündel —
Oh, wie noch süßer ist dies, als im Umgang die Trommel zu tragen! —
Wie man ein Heiligtum hält, in behutsamen Händen vor sich her.
Und schon zieht ihr vorbei am Gemeindehause, da hörst du
Hellen Gesang aus den Fenstern, und neben dem Hause im Hofe
Spaltet der fleischige Arm der Gerechtigkeit Holz für die Wirtschaft.
Eigentlich wär' er berechtigt, dich anzuhalten und deine
Ausweispapiere zu heischen! Du bist ja erwerbslos, und solche
Leute sind immer verdächtig, doch da an der Biegung der Straße
Hast du den Friedhof erreicht. Hier schlummert dein Freund nicht, den hat man
Wohl, wie immer gewollt, in seiner Heimat begraben!
Doch an der Mauer dafür die Bank, sie steht noch wie damals,
Da du zum letzten Male — die Sterne hingen wie Tropfen
Eisig glitzernden Tau's am leuchtend entfalteten Himmel! —
Liebe und Treue gewähnt und der Lockung des Lebens erlegen.

Aber auch dies ist vorbei, und nichts als die endlose
Straße
Liegt als ein Rätsel vor dir. Da nimmt dich ein
kleines Gehölz auf,
Und hier ist auch die Stelle — ein Wildbach stürzt
sich zu Tal da —
Wo ein uralter Grenzstein an längst verjährte
Gemarkung
Mahnt und wo du dich anschickst, von Vitus
Abschied zu nehmen.
Aber der Arme im Geiste, er will es nicht fassen,
das Bündel
Hält er wie wehrend vor sich, die angstvoll
erweiterten Blicke
Hängen an deinen Blicken, er möchte erwidern
und kann nicht,
Bis er in Demut sich beugt und auch dieses Kreuz
aus den Händen
Seiner Herrin auf sich nimmt; und dann — indessen
vom Ort her
Längst es zu Mittag geläutet — steht dieser eine
Gerechte,
Der in dem glücklichen Dorf am Volland zurückbleibt,
noch immer
Selbst wie ein Steinbild am Grenzstein und starrt
auf die Stelle der Straße,
Wo ihm dein Umriß verschwand und dein letztes
Grüßen gewinkt hat.

Cordula, schmerzhafte Magd, wo führt dein Weg
hin? Wo wird dir,
Wenn deine Stunde gekommen, die Bürde des
heiligen Lebens
Abzusetzen erlaubt sein? Glaubst du noch immer
an Menschen,
Welche die Hungrigen speisen und Müden ein
Labsal bereiten?
Alle Spitäler belegt mit blessierten Soldaten, für Mütter

Weder irgend ein Raum noch geeignete Nahrung!
Ist dir da
Irgendwo auf der Welt bei fremden gleichgültigen
Leuten
Auch nur ein Stall so gewiß, bei Ochs und Esel
ein Kripplein,
Wo du dein Kindlein bettest, und wär' es auf
Lumpen und Stroh nur?
Aber die Hirten lobsängen: Ehre sei Gott in der
Höhe!
Aber die Könige kämen mit Gold, mit Myrrhen und
Weihrauch,
Anzubeten das Kind! — Oh, Träume, Cordula,
Träume!
Dornen sind dir gesäet, und Steine werden dein
Brot sein,
Ach, wo immer du gehst und wo immer du
anklopfst. Denn siehe,
Übelbach ist ja ein Dorf nicht, in seiner Art einzig,
kein Ausbund
Unter den Orten und Städten der erdebewohnenden
Menschen,
Übelbach ist ja die Welt, und die derbe Begierde,
zu raffen,
Selber in Freveln zu blühn und die Unschuld büßen
zu lassen,
Ist ja der Irdischen Art! Noch immer haben die
Lauten
Leisere niedergeschrien, die Rohen die Zarten
geknechtet,
Schurken die Guten gemißbraucht!
Noch immer auch ruhte das Schicksal,
Welches im Großen bestimmte die Lose der
Menschengeschlechter,
Nicht bei den Weisen und Edeln! Nein, immer noch
waren's die Gaukler,
Rollenerschleicher der Macht und Fälscher der
hohen Begriffe,

Welche mit Lockung und Peitsche für dieses oder für jenes
Wahnwort die gläubige Herde von Schlachtbank zu Schlachtbank getrieben,
Und so werden sie's treiben, solange die Welt steht! Und dennoch:
Auch, solange die Welt steht, wird immer wieder ein reines
Kindlein geboren werden, um dessen willen der Herr die
Erde so schön gemacht und den Herzen die Hoffnung gegeben!
Und eine Mutter wie du — gegrüßt seist du Maria! —
So es in Demut empfangen und hart und getrost in der Not ist,
Wird ihm die Brüste reichen, auf daß es lebe und stark sei,
Selbst eine Welt sich zu schaffen aus seinen Träumen! Denn anders,
Wenn wir an dieses nicht glaubten für unsere eigenen Kinder,
Wäre die Erde ein Ort der bloßen Verzweiflung, die Zeugung
Schuld nur am neuen Geschlechte, kein Frieden erlöste in Gräbern,
Und es verlohnte sich nicht, den Menschen die Leier zu rühren.

Dramatik

Das Sterben des armen Mannes

ARMUT

Actus mysticus (4. Akt)

Dieselbe Szene wie in den beiden ersten Akten. — Das Bett des alten Spuller steht jedoch an der Stelle des Mitteltisches unter der brennenden Hängelampe, die mit Papier nach unten hin und seitlich verhängt ist. Zu den Häupten des Bettes ein Stuhl, auf dem einige Medizinflaschen und ein Topf mit dampfendem Wasser stehen. Der ganze Raum ist von dem Dufte des Latschenöls erfüllt. Im Bette liegt der alte Spuller, abgezehrt, bleich und schläft. Gottfried beim Sekretär, auf dem die angezündete, aber mit einem grünen Schirm abgedämpfte Studierlampe steht.

GOTTFRIED *(zuerst in ein Buch starrend, dann den Blick davon wendend und immer mehr ins Publikum, dennoch aber für sich sprechend):* Zwei Züge fahren von A nach B. Die Geschwindigkeit des einen ist S, die des anderen S mit dem Index 1. *(Liest die Aufgabe zu Ende.)* Eine Gleichung, eine eingekleidete Gleichung — mit wie vielen Unbekannten? ... Wie weit ist es von A nach B? Das ist die Frage, das große X! — Löst du sie nicht, dann — ja dann ... „Sie an der Ecke der fünften Bank, zeigen Sie mir Ihre Präparation!" ... Mein Gott, du weißt, daß ich die letzte, lange Nacht nicht geschlafen habe. Ich hielt meine Finger um den Puls eines Sterbenden geschlossen, daß er dem lässig gewordenen Hüter Leib nicht heimlich entschleiche ... „Keine Ausreden, junger Mann! Ihr Vater lebt ja noch! Nicht genügend!" ... Herr Gott des Himmels, an den ich geglaubt habe! Wann war es doch, daß ich das letzte Mal an dich glaubte? — Herr Gott, ich bin dir zwar

noch viele Gebete schuldig von damals her, als ich dir noch hundert Vaterunser gelobte zum Dank für ein bestandenes Examen oder tausend zur Buße, wenn ich mich selbstbefleckt hatte! — Und dennoch bitt' ich dich: laß ihn noch einmal zu sich kommen, diesen meinen Vater da — und gib mir dann ein Wort, ein Menschenwort! Mir, dem allzu Wörterreichen, der sein Herz hinter Palisaden von Floskeln verrammeln muß! Oder laß mich mit mehr als menschlicher Stimme in die letzten raunenden Spiele seiner entschlafenden Seele flüstern: Vergib mir — vergib!... *(Mit tief gesenkter Stimme)* Wie weit ist es von A nach B? Darum kannst du morgen gefragt werden. Und deine Antwort wird entscheidender sein für dein Leben als das letzte verzeihende Lächeln deines Vaters. Wer fragt darnach? Wer stellt dich mit d i e s e r Erfahrung an? — Und wenn Engel in jenem ewigen Augenblick durch deine Seele geschritten wären, allen irdischen Mißrat vor deine Schwelle kehrend, wer borgt dir einen Gulden auf dein gereinigtes Menschentum? — Sei niedrig, und es wird dir mit Wollust vergolten! Sei gewöhnlich, auf daß es dir wohlergehe auf Erden! Und wisse vor allem — wie weit es von A nach B ist! — Ich möchte nicht ein zweites Mal geboren werden.
Doch wie, wenn man dies erste Mal wegwischte von der schwarzen Tafel seines Bewußtseins? — Reich mir den Schwamm, Mitschüler, Gott — ach lieber nicht den Schwamm! Ich kenne Fälle, da du ihn vorher mit Essig und Galle getränkt hattest. — Es wird schon ein Revolver sein müssen. Der aber kostet Geld. Und man soll seinen Hintritt nicht leichtsinnig verteuern, würde meine Mutter sagen. Bliebe am Ende nur das Fliegenlernen — vom vierten Stock. Warum nicht? Es ist von dort sicher nicht weiter hinüber als — von A nach B. Ich muß es doch ausrechnen...

DIE MUTTER *(ist leise von links eingetreten, hat*

einige Augenblicke gespannt lauschend dagestanden und geht nun kaum hörbar auf Gottfried zu, hinter dem sie stehenbleibt. Leise): Sprichst du mit dir selbst?

GOTTFRIED *(Sich rasch gefaßt umwendend):* Ich tat es — scheinbar. Und wahrscheinlich, um mich darin zu üben für die Zeit, wo ich niemanden mehr haben werde, dem ich mich verständlich machen könnte —

MUTTER: Und ich bin niemand?

GOTTFRIED *(traurig):* Du bist nach den Überlieferungen unserer Familie meine Mutter.

MUTTER *(auf den Kranken zeigend):* Hast du denn mit ihm so viel gesprochen?

GOTTFRIED: Leider nein. Das war eben das Fieber, in dem ich vorhin delirierte.

MUTTER *(schmerzlich, eifersüchtig):* O doch! Ich weiß schon, wann ihr miteinander gesprochen habt: während der Sonntagsausflüge, auf die ihr mich nie mitgenommen habt! Ich hätte euch wohl gestört, nicht wahr?

GOTTFRIED *(unbeweglich):* Sicherlich — wenn wir gesprochen hätten.

MUTTER: Brauchst nicht im nachhinein zu lügen. *(Mit einer Art Triumphes)* Ich gehe jetzt die Leute vertrösten, denen wir schuldig sind. Damit du's nur weißt!

GOTTFRIED: Ich habe dieses Elend nicht geschickt.

MUTTER *(unwillig-bittend):* Du könntest wenigstens deiner Schwester zureden, daß sie von dem Vorschuß hergibt, den sie bei ihrer Firma genommen hat.

GOTTFRIED *(stutzig):* Hat sie denn das?

MUTTER *(unsicher):* Sie sagt es.

GOTTFRIED *(sieht sie erst durchdringend an, zuckt die Achseln, dann gedämpft-grotesk):* Könnte man nicht ein wenig einheizen, Mütterchen?

MUTTER *(schneidend):* Ist dir kalt? Steck die Hände in die Tasche!

GOTTFRIED: O, mir ist nicht kalt! *(Mit einer Handbewegung zum Vater hin.)* Seinetwegen!

MUTTER: Wenn du noch etwas findest, so heiz es ein. *(Geht im Hintergrund rechts ab. Nachdem die Mutter abgegangen, bleibt Gottfried einige Augenblicke ihr nachsehend stehen; dann sucht er im Zimmer zusammen, womit er den Kranken zudecken könnte, und breitet das Gefundene liebevoll-zärtlich über ihn. Der Kranke bewegt sich unter diesen Berührungen. Gottfried tritt erschrocken einen Schritt vom Lager zurück.)*

GOTTFRIED *(in steigender Erregung)*: Er bewegt sich! Mein Gott hast du mich wirklich erhört? Darf ich ihn wecken, du? — Einmal muß ich noch mit ihm allein sein, dieses erste und letzte Mal mit ihm allein! Wie war mein Herz verstockt, eingefroren die Sprache des Kindes zum Vater! Und je mehr Fühler seine Seele nach der meinen aussandte, desto ängstlicher ich. Ist es denn möglich, so sehr zu versäumen? War nie die Furcht, es könnte zu spät werden? Doch, doch! — Er stirbt und hat nicht gewußt, wie lieb... Er rührt sich! Meine Sehnsucht weckt ihn und mein schuldiges Herz. Vater, wach auf! — Dank dir, Herr des Himmels! Ein paar Worte jetzt, ein paar Menschenworte! *(Zum Kranken hingebeugt)* Vater!

SPULLER *(sich ein wenig aufrichtend, mit dem Abglanz eines glücklichen Traumes auf dem sterbensblassen Gesichte)*: Bist du's, Gottfried?

GOTTFRIED *(leise, ringend)*: Ich, dein —

SPULLER *(unruhig)*: War sonst niemand im Zimmer?

GOTTFRIED: Niemand Fremder.

SPULLER *(zurücksinkend)*: Geträumt — nur geträumt.

GOTTFRIED *(innig betend)*: Breitet, Engel, Teppiche auf die kristallenen Stufen des Himmels, denn ein Gerechter naht mit wundgewanderten Füßen —

SPULLER *(halb wach)*: Lieber Traum — machte mich

schweben. Schmerzfrei und leicht die Brust. — Gottfried!

GOTTFRIED: Vater?

SPULLER *(schwach, aber selig):* Hunger und Durst! — Das ist die Genesung.

GOTTFRIED: Ein wenig Wasser — *(Reicht ihm ein Glas.)*

SPULLER: Milch?

GOTTFRIED *(herb):* Nur Wasser.

SPULLER *(nachdem er getrunken, ein wenig aufgerichtet, mit weiten Blicken):* Hier gestanden — an deiner Stelle. Emporgewachsen aus der Erde — und gelächelt — belobt — gesegnet.

GOTTFRIED *(geheimnisvoll, schmerzlich):* Der Engel?

SPULLER *(traumhaft, groß):* Der Kaiser!

GOTTFRIED *(leise, schaudernd):* Der Kaiser?

SPULLER *(mit fremder Stimme):* „Sie haben mir gedient dreimal zehn Jahre und eines. Ich danke Ihnen —“ *(Zweifelnd.)* Leb' ich noch, Gottfried?

GOTTFRIED *(inbrünstig):* Du lebst, b i s t! Dein Kind dir zu Füßen!

SPULLER *(gütig):* Knie nicht, Gottfried, mein Kind... Langsam erwach' ich. Wo war ich die ganze Zeit? — Ist schon Frühling?

GOTTFRIED *(mit innerem Jubel, leise):*

Hänge hat er schon angehaucht,
Südlichen Odems die Schwingen schwer,
Flügelt der Wind vom Gebirge her,
Und die Gärten erschauern.
Und die Gärten ahnen das Meer,
Bruderpalmen im Sonnenschein,
Blühende Winden und blühenden Wein
Auf göttlich verwitterten Mauern.

SPULLER *(leise, selig):* Knospen die Büsche schon, Gottfried?

GOTTFRIED *(immer gesteigerter):*

Alle Zweige sind golden bestickt,
Weidengegitter und Haselgestrüppe

Blühende Lippe an blühende Lippe,
Alles Gestämme voll treibendem Most!
Unersinnbar und unbeschreiblich:
Blütenstäubchen, männlich zu weiblich,
Taumeln durch die gesegneten Lüfte,
Leben in Leben, Düfte in Düfte,
Und die blaugeschatteten Klüfte
Sind von stürzender Schmelze durchtost.

SPULLER *(wehmütig):* Erinnerst du dich noch an unsere Sommersonntage im Freien vor der Stadt?

GOTTFRIED *(fröhlich):*

Müde Augen zu entzücken,
Ausgezogen aus der Stadt,
Häuser, Türme bald im Rücken,
Sonntagsüberfüllte Brücken,
Straßen, Lärmens übersatt.
In Alleen aufgenommen,
Ins Gerausche hingeschwommen,
Aufgefrischt und freuderot;
Brust dem Anhauch dargebreitet,
Herz der Erde aufgeweitet,
Und vergessen alle Not.
Aus den feuchten Ackerschorfen
Lerchen, a u f ins Gold geworfen,
Trunken überschlugen sich.
Deine Wangen braun und bräuner,
Immer nur ein Tag, nur einer —
Ach, so selten du und ich!

SPULLER *(milde lächelnd):* Weißt du noch, wie du dich oft gewunden und verborgen hast, um nicht mit mir gehen zu müssen?

GOTTFRIED *(schmerzlich):*

O, wie war deine Freude erschütternd,
Wenn endlich die Stunde des Ausflugs kam!
O, wie verkroch ich mich zag und zitternd,
Ob du auch wirklich den mürrischen Knaben
Wieder wolltest zur Seite haben,
Denn meine Freude ward mürrisch vor Scham.

Daß du mit Stunden dich mußtest begnügen
Nach den trübselig verfristeten Wochen,
Und die Worte voll Heilandsgenügen,
Die du auf Bänken im Wald mir gesprochen —
Ach, sie haben das Herz mir gebrochen,
Und ich habe mich lieber verkrochen,
Verraten mich konnt' ich nicht, wollte nicht lügen.
Hätte mich sonst mit meinen Küssen
Zu deinen Füßen hinstürzen müssen
Und dir aus meinen kindlichen Händen
Mein Herz wie die heilige Blutspeise spenden.

SPULLER *(lächelnd)*: Glaubst du, ich hab' es nicht gewußt, Gottfried?

GOTTFRIED *(zerschmettert)*: Du — gewußt?!

SPULLER *(tief)*: Soll ein Vater sein Kind nicht kennen?

GOTTFRIED *(erschüttert, gequält, immer wühlender)*:

Mich, mich gekannt!?
Und nun liege ich da,
Zerpeinigt von Reu,
Weine bittere Küsse
Auf unwiederbringliche Hände,
Und die zerpochte Brust
Ringt das gelbe Gelächter
Der verzweifelten Narren
In ihre Tiefen zurück.
Einer hat mich gekannt,
Und dieser e i n e?! Zu spät!
Nichts hält die wachsenden Schatten mehr,
Aufgähnt die Erde und birgt den Raub,
Hohnlacht berstender Herzen,
Und wunde Lippen auf kaltem Stein
Wecken die Schläfer nicht.

SPULLER *(in plötzlicher, aber beherrschter Angst)*: Ist es so weit mit mir?

GOTTFRIED *(immer ekstatischer)*:

Nein, du wirst leben!
Sterblich bist du nicht!

Hast ja gewirkt, geliebt,
Warst ja beglückt, betrübt,
Hast dich ergeben.
Sag mir, wie konntest du's?
Ich vermag es nicht,
Ich Spätgeborener,
Allzufrüh Wissender,
Wissens Müder.
Ich Hungrig — Vergrämter,
Lüstern — Verschämter,
Zum Nehmen zu brach,
Zum Verzichten zu schwach,
Und im Blut
Der Neid!
Kein Geiler nach fremdem Gut!
Aber warum nur die andern:
Gold, Liebe, Welt?!
Warum nicht ich, nicht du?
Ich, du auch!
Warum nicht wir?
Uns auch Glück!
Armut, Armut,
Was werd' ich durch dich!?

SPULLER *(leise, überirdisch):*
Ein Bettler,
Wenn du nur danach brennst,
Was die andern haben und sind —
Ein Mensch,
Wenn du leidend erkennst,
Daß andere immer noch ärmer sind —
Ein Dichter,
Wenn du die Herzen wirbst,
Die sonst für die Armut verhärtet sind —
Ein Heiland,
Wenn du für jene stirbst,
Die deine verstoßenen Brüder sind.
(Er legt seine Rechte segnend auf Gottfrieds Haupt.)
Nun wähle, mein Kind!

(Spuller lehnt sich mit geschlossenen Lidern und einem mattseligen Gesichtsausdrucke ein wenig in seine Polster zurück. Seine Hand gleitet von dem Scheitel des Sohnes. Dieser hat sein Haupt unter der segnenden Berührung tief gesenkt und vergräbt jetzt das Antlitz an den Knien des Vaters. In dieser Stellung verharrt er während der folgenden Szene. Tiefe Stille. Die Tür im Hintergrund rechts öffnet sich lautlos.)

EIN FREMDER HERR *(tritt ein. Er geht mit gemessenen unhörbaren Schritten durch den Hintergrund und bleibt an dem linken Kopfende des Bettes derart in einigem Abstand stehen, daß der Blick des Kranken auf ihn fallen muß. Der fremde Herr trägt dunkelaschgraue Kleidung. Der bis zum Kinn zugeknöpfte Paletot und die etwas schlotterigen Beinkleider sind von zeitlosem Schnitt. In der einen seiner gleichfalls grau behandschuhten Hände hält er einen Schlapphut von undefinierbarer Farbe. Die Gestalt des Herrn ist mittelgroß und knochig, sein Schädel beinahe kahl, sein Antlitz graublaß, von unfeststellbarem Alter. Die Farbe seines Schnurrbartes sticht kaum von der seines Gesichtes ab. Der Fremde sieht aus wie ein greiser Beamter. Aber in seiner Haltung ist geschmeidige Kraft, in seiner Stimme Metall, das hell und dumpf, gütig und unerbittlich zu klingen vermag. Einige Augenblicke, nachdem der Fremde an ihn herangetreten ist, schlägt Spuller die Augen auf, gewahrt die Erscheinung mit einem Blicke, dem er sichtlich nicht traut, und sieht sie mit fragendem Befremden an.)*

DER FREMDE *(lächelnd, mit freundlicher gedämpfter Stimme):* Guten Abend, mein Kompliment —

SPULLER *(unsicher):* Wer sind Sie?

DER FREMDE *(mehr für sich):* Seltsam, daß keiner mich je erkennt.

SPULLER *(nach einigem Forschen):* Sie scheinen mir allerdings bekannt —

DER FREMDE: Das freut mich.

SPULLER *(etwas sicherer):* Sie sind mein Herr Amtsvorstand —?

DER FREMDE *(beziehungsvoll):*
Der Ihrige und — so im allgemeinen.
Doch sind wir nicht mehr nur das, was wir scheinen.

SPULLER *(vorsichtig):*
Sie scheinen mir allerdings recht — verändert:
Das Antlitz so blaß, die Augen gerändert:
Und so was Gealtertes um den Mund!
Sie sind doch nicht auch krank?

DER FREMDE *(mit flüchtigem Lächeln):* Nein, ich bin gesund.

SPULLER *(bekümmert):* Das kann ich leider von mir nicht sagen.

DER FREMDE: Das wird schon kommen.

SPULLER *(erregt):* Seit einigen Tagen
Fühl ich mich allerdings im Genesen.
Nur die Augen sind noch zu schwach zum Lesen
Und die Hand noch ein wenig zu müd zum Schreiben.
Würd' sonst dem Amte nicht fernebleiben!
Doch ich will, was ich versäumt und verpaßt,
Nachholen, sobald ich —

DER FREMDE *(mit großer Ruhe):* Nur keine Hast!

SPULLER *(gequält):*
Ich bin ja, Herr Vorstand, noch nicht so alt
Und kann noch gut zehn Jahre dienen,
Und meine Familie braucht den Gehalt —
Man wird mir doch nicht...?

DER FREMDE *(mit Anteil):* Was lastet auf Ihnen?

SPULLER *(angstvoll):* Man wird mir doch nicht — den Abschied geben?

DER FREMDE: Seien Sie ruhig — in diesem Belang.

SPULLER *(befreit):* Das quälte mich so!

DER FREMDE *(gütig):* Darum komme ich eben
Und bringe — Frieden!

SPULLER *(selig-verträumt, innig, leise):* Vielen Dank!
— Gott sei Dank.

DER FREMDE *(nach einer Pause freundschaftlich):*
Doch nun, da diese Besorgnis vorüber —
Wir haben zusammen noch etwas Zeit —
Wollen wir ein wenig plaudern, mein Lieber,
Vom Leben und von der Vergangenheit.

SPULLER *(lächelnd, wie in seliger Erinnerung):* Ach ja, das Leben!

DER FREMDE: Sie waren zufrieden?

SPULLER *(wie oben):* Und ob! Es war ja doch oft so reich!

DER FREMDE: Und hat Ihnen doch so wenig beschieden!

SPULLER *(mit gütiger Verwahrung):*
Wieso denn? Man muß doch nicht immer gleich
Die Sterne vom Himmel herunter verlangen!
Mehr als den Abglanz von allen Sonnen,
Mehr als die Sehnsucht nach allen Wonnen,
Was sie auch trachten, treiben und sinnen,
Können Menschen doch niemals gewinnen!

DER FREMDE *(mit freundlicher Überlegenheit):*
Bei dieser Philosophie, mein Verehrter,
Wär' es in dieser löblichen Welt
Etwas allzu geruhsam bestellt.
Aber in Wirklichkeit ist viel begehrter,
Was Sie verschmähen: Genuß und Geld!

SPULLER: Leider Gottes.

DER FREMDE *(beinahe lebhaft):* Wie man es nimmt!
Ich für meinen Teil hoffe bestimmt,
Daß sich die Menschen zu Ihren Lehren
Nicht so bald und willig bekehren,
Weil sonst — Ihre Gesinnung in Ehren,
Diese Komödie kein Ende nimmt.

SPULLER *(betroffen):*
Von diesem Standpunkt, muß ich gestehen,
Hab' ich die Sache noch niemals besehen.

DER FREMDE *(gelassen):*
Wohl! Diesen erweiterten Horizont
Hat niemand, der selber auf Erden wohnt.

SPULLER *(ahnungsvoll):* Und Sie?

DER FREMDE *(erst lächelnd, dann mit steigender Kälte)*:
Ja, ich, mein Lieber — wie sagt man da schon? —
Steh' quasi über der Situation.
Ich hätte mich nämlich noch mehr zu plagen,
Würden alle so gütig wie Sie entsagen.
Doch so sind die meisten, Gott sei Dank,
Schon durch ihre eigene Habgier krank.
Denn der Hunger nach wirklichem Haben
Frißt schon an Kindern und ängstigt die Knaben,
Altert die Männer, entnervt die Weiber,
Verwirft die Seelen, zermürbt die Leiber,
Peitscht sie wie ein irrsinniger Treiber
Millionenscharenweise
In meine Netze, in meine Kreise,
Daß sie wie Fliegen in Schwefeldünsten
Samt ihren Lüsten, Süchten und Brünsten
In der Masse zugrunde gehen!
Brauch' nicht nach jedem besonders zu sehen.
(Mit gütig verändertem Ton.)
Nur zu den Seltenen, Gütigen, Klaren
Komm' ich höchstselber vorgefahren —
Ich darf wohl hoffen, daß Sie mich verstehen!

SPULLER *(nickt mehrmals traurig, dann leise)*: Und wie lang ist noch Zeit?

DER FREMDE *(nachdem er auf eine altertümliche Taschenuhr gesehen, fest)*: Dreimal sechzig Sekunden.
Mein Fahrplan ist unerbittlich genau.

SPULLER *(angstvoll)*: Und wohin geht die Reise? Nach oben? Nach unten?

DER FREMDE *(mit gütig erhobener Stimme)*: Immerzu aufwärts ins ewige Blau!

SPULLER *(in wachsender Beklemmung)*:
Hätte noch manches vielleicht zu besorgen,
Habe zum Sterben noch nicht die Ruh'!

DER FREMDE *(mit steigender Wärme und Stärke)*:
Überlaß' es nur denen, die morgen
Nicht so verklärt sein werden wie du!

SPULLER: Wovon werden die Meinen leben,
Wenn ich nicht mehr verdiene, wovon?

DER FREMDE:
Du hast ihnen all dein Leben gegeben,
Sterben darfst du für dich, mein Sohn!

SPULLER: Hab' ich denn nichts mehr zu beichten und schlichten?

DER FREMDE: Liebe Seele, frag nicht danach!

SPULLER: Schlecht war ich ja nicht, nur manchmal so schwach —

DER FREMDE *(mit liebevollem Vorwurf, stark):*
Schwäche nennst du dein großes Verzichten?!
Glaub mir, nicht viele der Menschenwerke,
Die bewundert auf Erden sind,
Brauchen solche vollbringende Stärke.
Wie in diesem besessenen Treiben,
Diesem gierigen Haschen nach Wind
So ein seliger Armer zu bleiben,
Wie es du vermocht hast, mein Kind!

SPULLER *(immer verklärter und kindlicher):*
Also nah' ich mich der Vollendung
Doch nicht als ganz so belanglose Fracht?

DER FREMDE *(liebreich):*
Nein, als besonders köstliche Sendung
Wirst du von Engeln überbracht.

SPULLER *(kindlich bittend):*
Aber heiße sie gut Obacht geben!
Bin so gebrechlich von manchem Leid —

DER FREMDE:
Laß gut sein!
Die dich heben, die mit dir schweben,
Boten Gottes wissen Bescheid.

(Der Fremde berührt die Hand des Sterbenden, der selig lächelnd mit einem tiefen, erlösten Seufzer zurücksinkt. Die Wanduhr schlägt gemächlich die siebente Stunde.)

Der Vorhang fällt.

Aphorismen und Sentenzen aus dem Gesamtwerk

„Man kann nicht weise sein, wenn man noch nichts erlebt hat." („Die irdische Maria", Prosaepos, SW II., 287)

„Es kommt nicht darauf an, was einer erlebt, sondern wer etwas erlebt."
(„Die irdische Maria", Drama, SW II., 383)

„So viel des Leides ist in der Welt, daß es manchmal unbegreiflich ist, daß wir noch leben können, ohne stets unglücklich zu sein."
(„Wer Augen hat, zu sehen . . .", SW II., 105)

„Immer sind andre noch ärmer!"
(„Vom kleinen Alltag", SW I., 85)

„Eine der vornehmsten Pflichten im Zusammenleben mit Menschen ist die, seinen Nebenmenschen zu kennen. Dies gebietet die Selbsterhaltung und die Rücksicht auf die Individualität der anderen."
(„Ich beichte und bekenne", 181)

„Alle Tragik der Menschen untereinander beruht auf ihrer unzulänglichen Kenntnis voneinander. Dies gilt auch von Völkern." („Ich beichte und bekenne", 99)

„Die Lust haben wir mit den Tieren gemeinsam; daß wir sie heiligen, ist unser Menschenvorrecht."
(„Ich beichte und bekenne", 170)

„Alle Dichtungen, die ein wahrer Mensch hervorbringt, sind Briefe, die er an sich schreibt, in Ermangelung anderer wahrer Menschen, an die er sie richten könnte."
(„Versuch eines psychologischen Selbstporträts", SW VII., 112)

„Aus Nichts etwas hervorbringen — das ist Gottes. Aus dem Etwas die Ordnung hervorbringen, das ist des Menschen." (Brief v. 21. 5. 1919; Br. II., 132)

„Viele sterben und sind noch nicht gewesen.“
(„Der letzte Besuch“, Br. III., 491)

„Der Mensch ist des Menschen bedürftig.“
(„Kirbisch“, SW V., 39)

„In allen, die leiden, ist unser Herr und Erlöser!“
(„Kirbisch“, SW V., 43)

„Aber wir sollen das Gute verrichten, nicht nur, wenn es leichtfällt!“ („Kirbisch“, SW V., 42)

„Denn es ist ein gewaltiges Ding um das Sterben von Menschen, wenn es dienend geschieht...“
(„Kirbisch“, SW V., 60)

„...denn immer noch, weil es die Welt gibt,
hat dem Erhabenen sich eine Fratze, sein lästerndes Zerrbild
hämisch hinzugesellt, damit wir jenes begreifen!“
(„Kirbisch“, SW V., 99)

„...es wäre des Jammers und Elends
weniger auf der Welt, wofern die Menschen im Geiste
williger wären, zu sehen. Das Mitleid bliebe kein
Wort bloß...“ („Kirbisch“, SW V., 120)

„Weisheit ist mehr als eine Summe von Erfahrungen, Weisheit ist das intuitive Erkennen des Ewigen in allem Erleben.“ (Notizbuch, 1909; SW VII., 52)

„Eine Wahrheit erkennen, heißt weise sein, eine Wahrheit leben, heißt ein Ideal besitzen.“
(„Buch der Liebe“, SW VII., 65)

„...um ein Künstler zu sein, muß man zuerst ein Mensch sein und sich entfalten dürfen in der Liebe und im Leben.“ (1908; „Der geöffnete Schrein“, 72)

„Vielleicht ist alles, was der Mann vollbringt,
nicht eine einzige Stunde Abends wert,
in der ihm jene lächeln, die er liebt...“
(„Moses“-Fragment; SW IV., 341)

Lebenstafel

1881	17. April: geboren in Wien
1887 ff.	Besuch der Piaristenvolksschule und des Piaristengymnasiums in der Josefstadt
1900	Beginn des Studiums der Rechte an der Wiener Universität
1904—1905	Weltreise
1906	Tod des Vaters; Hilfsredakteur der „Zeit“
1907—1908	Fortsetzung und Vollendung der juridischen Studien
1909	Eintritt in den Justizdienst (Volontär, Auskultant); Verlobung und Heirat mit Lilly Würzl
1909	Weihnachten: Herausgabe des ersten Gedichtbandes „Herbstfrühling“
1911	Gedichtsammlung „Und hättet der Liebe nicht“, Arbeit an dem unveröffentlichten Roman „Die irdische Maria“
1912	Aufgabe des juridischen Berufes; Arbeit an den „Sonetten an Ead“ und an dem Gerichtseinakter „In Ewigkeit, Amen“
1913	„Sonette an Ead“ erschienen; „In Ewigkeit, Amen“ an der Freien Volksbühne in Wien erstaufgeführt; Arbeit am Trauerspiel „Armut“
1915	16. Jänner: Erstaufführung der „Armut“ am Volkstheater in Wien; „Österreichische Gedichte“; Venenentzündung; Übersiedlung nach Mödling; Arbeit an „Liebe“ in Mönichkirchen
1916	Arbeit an „Dies irae“ und Erstaufführung von „Liebe“ (18. Oktober) am Deutschen Volkstheater in Wien

1917	Gedichtband „Mittag“
1918	Drucklegung von „Dies irae“
1919	8. Februar: Erstaufführung von „Dies irae“ am Burgtheater
1919—1920	Arbeit an „Kain“ und am Vorspiel zu „Moses“; Erstaufführung des „Kain“ am Burgtheater
1921—1922	Tätigkeit als Burgtheaterdirektor
1923—1924	Beschäftigung mit italienischer Lyrik
1924	Gedichtbuch „Sonette aus dem Italienischen“, Buch „Leben zu meinen Gedichten“ begonnen
1925	Vortragsreise im Deutschen Reich; Venenentzündung; Beginn der Arbeit am Epos „Kirbisch“
1926	„Wiener Gedichte“; Rundfunkaufführung des „Kain“
1927—1928	„Kirbisch“ „Gedichte an Pan“, Arbeit an „Musik der Kindheit“
1929	„Buch der Gedichte“; Zusammenbruch in Leipzig auf der Reise nach Schweden und Norwegen (Vortragstournee)
1929—1931	Trotz Krankheit Arbeit an der Gesamtausgabe; abermalige Übernahme der Burgtheaterdirektion (1930); neuerliche Venenentzündung mit bedenklichen Herzattacken;
1932	Genesungsaufenthalt in Mönichkirchen und Arbeit am Erinnerungsbuch „Helldunkle Jugend“
1932	3. Mai: Tod durch Herzschlag in Mödling

Bibliographie

1. Gesamtausgaben:

Anton Wildgans, Gesammelte Werke, 5 Bände, Leipzig 1930 ff.

Anton Wildgans, Sämtliche Werke, Histor.-krit. Ausgabe, 7 Bände, Wien 1948 ff.

2. Greifbare Einzelausgaben:

Anton Wildgans, Späte Ernte, Wien 1946

Anton Wildgans, Rede über Österreich, Wien 1947

Anton Wildgans, Kirbisch, Graz 1948 (Wien 1953 f.)

Anton Wildgans, Die Sonette an Ead, Wien 1950

Anton Wildgans, Bürgerliche Dramen, Wien 1952 (57)

Anton Wildgans, Gedichte, Wien 1953 (57)

Anton Wildgans, Musik der Kindheit, Wien 1954 (57)

Anton Wildgans, Armut, Schulausgabe, Salzburg 1955

3. Lebenszeugnisse:

Josef Soyka, Das Buch um Anton Wildgans, Leipzig 1932

Anton Wildgans, Ich beichte und bekenne, hrsgeg. v. Lilly Wildgans, Leipzig 1933

Lilly Wildgans, Die Geschichte der Familie Wildgans, Wien 1936

Anton Wildgans, Ein Leben in Briefen, hrsgeg. v. Lilly Wildgans, 3 Bände, Wien 1947

Heinrich Satter, Anton Wildgans, Ein Buch der Freundschaft und Erinnerung, Zürich 1949

Lilly Wildgans, Anton Wildgans und das Burgtheater, Wien 1955

In memoriam Anton Wildgans 1881—1956, hrsgeg. v. d. Stadt Mödling, Wien 1956

Lilly Wildgans, Anton Wildgans, Neue Österr. Biographie ab 1815, Wien 1956, Bd. 9, S. 154 ff.

4. Dissertationen:

Roland Heger, Anton Wildgans als Dramatiker, Wien 1947

Gertrude Zaleski, Die Lyrik von Anton Wildgans, Wien 1947

Gertrude Arnold, Anton Wildgans und sein Freundeskreis, Wien 1948

Elfriede Pitlach, Leben und Lebenssinn in der Lyrik von Anton Wildgans, Innsbruck 1949

Hilde Vanicek, Der Einfluß der französischen Lyrik auf Anton Wildgans, Stefan Zweig und Felix Dörmann, Wien 1949

Walter Sachers, Anton Wildgans und Otto Weininger, Wien 1953

Elisabeth Pablé, Wildgans auf den Wiener Bühnen, Wien 1955

5. Einzeluntersuchungen:

Anton Dörfler, Anton Wildgans und seine besten Bühnenwerke, Berlin 1022

Franz Koch, Anton Wildgans zum Gedächtnis, Berlin 1932

Max Mell, Anton Wildgans zum Gedächtnis, Wien 1932

Joseph A. von Bradish, Anton Wildgans, der Österreicher, Monatshefte für den deutschen Unterricht, 25, 2, Madison, Wis. 1933

Nagl—Zeidler—Castle, Anton Wildgans, Deutschösterreichische Literaturgeschichte, Wien 1937, IV., 1889 ff.

A. H. Schwengeler, Renaissance eines Dichters: Anton Wildgans, Der kleine Bund, 30, 4, Bern 1949

Felix Braun gedenkt Anton Wildgans', A. Wildgans-Festschrift der Mödlinger Zeitung zum 70. Geburtstag am 17. 4. 1951

Franz Theodor Csokor, Anton Wildgans — der Weltbürger, ebenda

Hans Nüchtern, Anton Wildgans — Dichter und Mensch, ebenda

Felix Braun, Rede über Anton Wildgans, Das musische Land, Wien 1953, S. 207 ff.

Hans Vogelsang, Anton Wildgans, der Dichter des Mitleids, 132. Jahresbericht des Schottengymnasiums, Wien 1953, S. 64 ff. und Österreich in Geschichte und Literatur, Graz 1958, II., S. 111 ff.

Wilhelm Waldstein, Anton Wildgans, Kunst und Ethos, Salzburg 1954, S. 209 ff.

Wilhelm Waldstein, Die Ideen von Leben und Tod im Schaffen von Anton Wildgans, ebenda, S. 215 ff.

Ernst Wurm, Anton Wildgans, Wort in der Zeit, Wien 1958, IV., 11, S. 1 ff.

HANS VOGELSANG

geboren am 13. August 1920 in Hadres (Niederösterreich), studierte Germanistik und Altphilologie.

Dr. phil.; 1949—1955 Professor an der Graphischen Lehr- und Versuchsanstalt und am Schottengymnasium in Wien, seit 1955 am Piaristen- und Schottengymnasium; seit 1949 Dozent für Deutsche Literatur an der Wiener Katholischen Akademie.

Wichtigste Publikationen: Nikolaus Lenaus Lebenstragödie (Wien 1952); Paula Grogger, Weg, Welt, Werk (Wien 1952); Karl Schönherr zum 10. Todestag (Wien 1953); Maria Veronika Rubatscher, Südtirols Dichterin und ihr Werk (Brixen 1954); ferner in Zeitschriften und Jahresberichten zahlreiche Aufsätze vor allem über deutsche und österreichische Dichter des 19. und 20. Jahrhunderts (Mell, Wildgans, Schreyvogl, Ginzkey, Hofmannsthal, Hochwälder, Preradovic, Saar, Le Fort, Langgässer, Csokor); Mitherausgeber der Lesebücher für die Unterstufe der Mittelschulen.

INHALT